À LA DÉCOUVERTE DU CANADA

La traite des fourrures

ROBERT LIVESEY ET A.G. SMITH

Traduit de l'anglais par Madeleine Hébert

Les Éditions des Plaines
Case postale 123
Saint-Boniface (Manitoba)
R2H 3B4

Les Éditions des Plaines reçoivent
pour leur programme de publication
l'aide du Programme de subventions globales
du Conseil des Arts du Canada et du Conseil
des Arts du Manitoba.

Données de catalogage avant publication (Canada)

Livesey, Robert, 1940-

    La traite des fourrures

    (À la découverte du Canada)
    Comprend un index.
    Traduction de : The Fur Traders.
    Réimpression. Publié originellement : Saint-Lambert, Québec
    Éditions Héritage, ©1993.
    ISBN 2-921353-48-2

1. Fourrures – Commerce – Canada – Histoire – Ouvrages pour la jeunesse.
2. Canada – Découverte et exploration – Ouvrages pour la jeunesse. 3. Nord-Ouest canadien –
Découverte et exploration – Ouvrages pour la jeunesse. 4. Indiens d'Amérique – Canada –
Ouvrages pour la jeunesse. I. Smith, A. G. (Albert Gray), 1945-
II. Titre. III. Collection : Livesey, Robert, 1940-
À la découverte du Canada.

FC3207.L5814   1997   j971   C96-920180-X

Copyright : © 1989 Robert Livesey et A.G. Smith
Publié par Stoddart Publishing Co. Limited

Première édition française
Les Éditions Héritage inc. 1993
Tous droits réservés

Dépôt légal : 1er trimestre 1997, Bibliothèque nationale du Canada
Les Éditions des Plaines

Pour Alex et Nancy, avec tendresse

Nous désirons remercier le «trappeur» Rob Little, Josie Hazen, Susan Johnston, Michele Bonifacio, Greg Miller, David Densmore, Sandra Tooze et les bibliothécaires de la bibliothèque publique d'Oakville, de la bibliothèque du Collège Sheridan et de celle de l'Université de Windsor pour l'aide qu'ils nous ont apportée dans la réalisation de ce livre.

Table des matières

Introduction

Un nouveau monde

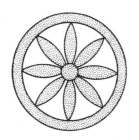 Imaginons une terre étrangère, dont les dimensions et les richesses dépassent l'imagination. Cette contrée est peuplée de centaines de tribus indigènes indépendantes qui protègent jalousement leur territoire contre les envahisseurs. Il n'existe aucune route pour voyager au travers des forêts touffues, les seules voies de communication sont les cours d'eau. À l'extrémité de ce continent mystérieux, à des dizaines de milliers de kilomètres, s'étend l'océan Pacifique.

Lorsque les Européens établissent les premières colonies sur la côte est de l'Amérique du Nord (d'abord dans le Vinland, puis en Nouvelle-France et ensuite en Nouvelle-Angleterre), ils ne connaissent ni la taille ni la forme de ce continent immense. Ils posent le pied sur les bords d'un nouveau monde à explorer. La recherche du «passage vers l'Ouest» n'est pas la seule raison qui pousse les premiers explorateurs à braver les dangers de la nature sauvage.

L'exploration du Canada est due principalement à l'existence d'un petit animal industrieux, le castor. En Europe, les fourrures de castor sont en très grande demande, surtout pour fabriquer les chapeaux à la mode. Au fur et à mesure de la disparition de la population de castors dans l'est de l'Amérique, les hommes blancs doivent aller chercher les peaux de castor plus loin à l'ouest et au nord.

Cet innocent petit animal a entraîné la destruction des cultures amérindiennes du continent, la mort de milliers de Blancs et d'indigènes, et l'exploration de l'Amérique du Nord. On reconnaît maintenant l'importance du rôle du castor puisqu'il est devenu le symbole national du Canada et qu'on le retrouve au dos des pièces de monnaie canadiennes de cinq cents.

1

Le gibier

Le castor

Avant l'arrivée des Européens, il y a environ dix millions de castors en Amérique du Nord. Les familles de castors n'aiment pas se déplacer, ou migrer; elles ont des habitudes sédentaires et restent toujours dans la même région.

Un castor adulte pèse de 14 à 28 kg. Il n'a qu'un seul partenaire sexuel et les petits naissent en mai. Les portées sont habituellement de deux à six bébés. La mère allaite ses petits pour six semaines seulement, mais les jeunes vivent pendant un an près de leur mère dans le terrier familial. Dans les 48 heures qui suivent sa naissance, le jeune castor reçoit de son père sa première leçon de natation. Il atteint l'âge adulte vers deux ans et demi et se met à la recherche d'un partenaire. Une hutte de castors héberge en moyenne neuf membres d'une même famille, de tous les âges.

Cet animal se nourrit de végétaux et il en fait des provisions sous l'eau pour l'hiver, près de sa hutte. Cette réserve provient des bouleaux, des peupliers, des saules et d'autres arbres au bois dur. L'été, il dévore les racines de diverses plantes aquatiques.

Contrairement aux écureuils, aux marmottes et aux ours, les castors n'hibernent pas et s'adaptent à la température hivernale grâce à leur épaisse fourrure. Les castors vivant plus au nord possèdent une fourrure plus épaisse, plus foncée et plus belle que leurs cousins du Sud. La capture la plus précieuse du chasseur est un jeune castor dont les poils de couverture sont noirs et doux (jusqu'à cinq cm de long) et les poils de bourre sont plus pâles et plus courts (moins de trois cm de long). Lorsqu'on examine un poil de la fourrure du castor au microscope, on y voit de nombreux petits barbillons. Ce sont ces barbillons qui rendent cette fourrure si apte à la fabrication des chapeaux.

La chasse intensive du castor par les indigènes, pour répondre à la demande des Blancs en peaux, entraîne la disparition de plusieurs communautés de ces bêtes dans l'est de l'Amérique. Les troqueurs et les trappeurs doivent se déplacer de plus en plus vers le nord et l'ouest pour obtenir leurs précieuses pelleteries. Aucun animal à fourrure n'échappe à leur convoitise et certaines espèces, comme le bison, sont menacées d'extinction.

Les huttes des castors

Les castors sont de grands bâtisseurs et ils travaillent en commun à l'édification de leurs demeures. D'abord, ils érigent un barrage en travers d'un cours d'eau pour élever le niveau de l'eau. Ensuite, ils construisent une hutte de six mètres de large et de un à deux mètres de haut dont les murs épais sont faits de branchages et de petites pierres plates cimentés avec de la boue.

À l'intérieur de la hutte, on retrouve une pièce circulaire de deux mètres de diamètre et d'un mètre de haut. Le sol de cette pièce est de dix cm plus élevé que le niveau de l'eau. Il y a deux sorties immergées à un mètre de la surface; chacune de ces galeries a de deux à trois mètres de long et un demi-mètre de large. La première est la sortie habituelle et l'autre est réservée à l'approvisionnement. En plus de sa hutte, le castor creuse des tanières possédant aussi des entrées sous l'eau le long des berges de la rivière.

L'élimination des castors

Le célèbre explorateur David Thompson explique dans son journal la raison de la disparition des castors.

Auparavant, les castors étaient très nombreux, car la multitude de lacs et de rivières leur fournissait un vaste habitat. Les Amérindiens n'avaient que des bâtons pointus aiguisés et durcis au feu, des tomahawks de pierre, des lances et des flèches; avec de telles armes, ils ne pouvaient pas grand-chose contre les castors rusés qui, sur les berges du lac, se construisent des huttes de plus d'un pied (30 cm) d'épais... Depuis l'arrivée des hommes blancs cependant, les Amérindiens sont passés de la pierre à l'acier et ont échangé ces armes primitives pour des fusils meurtriers; maintenant, plus aucun animal ne leur résiste... Ainsi armés, ils peuvent transpercer les huttes des castors et démolir leurs barrages, ce qui, en abaissant le niveau de l'eau, expose les entrées des huttes et des terriers de ces bêtes et les rend faciles à attraper.

Une queue utile

La large queue plate du castor sert d'avertisseur sonore en cas de danger; pour alerter ses compagnons, le castor la frappe bruyamment sur la surface de l'eau.

Loutre

2 *Les chasseurs*

Les trappeurs

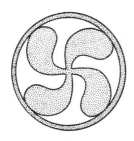

Avant de partir en voyage dans un endroit inconnu, il vaut mieux se procurer une carte de la région, de la ville, de la province ou du pays que l'on désire visiter. Les premiers chasseurs d'animaux à fourrure n'ont pas de cartes géographiques, et les seules voies de communication à travers la nature touffue sont les rivières et les lacs. Ces trappeurs aventureux traversent hardiment des territoires inconnus à la recherche de pelleteries.

Les premiers Blancs à explorer le nouveau continent deviennent les amis des indigènes, les Amérindiens d'Amérique du Nord, qui leur apprennent la survie dans la nature. Les Amérindiens connaissent aussi les routes maritimes et les sentiers forestiers qui conduisent à l'intérieur du vaste continent américain.

Les premiers Blancs qui osent explorer les profondeurs mystérieuses des forêts sont de jeunes Français, les *coureurs de bois*. Ces aventuriers audacieux, revêtus de peaux de daim, sont des trappeurs farouchement indépendants qui vivent de leur chasse dans une nature hostile.

La demande en Europe pour les chapeaux de castor transforme la traite des fourrures en véritable commerce. Avec l'établissement de colonies anglaises situées au sud de celles des Français, la compétition dans le commerce de la fourrure devient féroce. Les Iroquois s'allient aux colons de la Nouvelle-Angleterre, alors que les Hurons sont du côté des Français. Ces alliances entraînent des guerres qui conduisent à la quasi-extermination des Hurons en 1649 et 1650.

Après la victoire des Anglais sur les Français aux plaines d'Abraham, Montréal est envahie par un groupe de marchands anglais et écossais qui ont l'intention de prendre le contrôle du riche marché de la traite des fourrures. Ces commerçants fondent leurs propres compagnies, engagent des voyageurs français expérimentés connaissant les routes de la fourrure et commencent une guerre commerciale sans pitié pour les peaux de castor et d'autres animaux. Cette compétition féroce engendre des batailles et des tueries jusqu'à ce qu'en 1779 les trappeurs indépendants s'unissent en une seule grande compagnie, la Compagnie du Nord-Ouest, dont ils deviennent tous propriétaires.

Cette polarisation de la traite des fourrures amène une nouvelle rivalité entre les deux organismes concernés, la Compagnie de la Baie d'Hudson, fondée en 1670 et la Compagnie du Nord-Ouest. Encore une fois, on assiste à une «guerre» commerciale qui entraîne des blessures et des morts jusqu'à ce que les deux compagnies fusionnent en 1821.

Au cours des siècles, les trappeurs du Nord-Ouest dépensent autant d'énergie à essayer de s'éliminer les uns les autres qu'à chasser.

Les partenaires de la Compagnie du Nord-Ouest appartiennent à une association privée, le «Beaver Club», dont les deux faces du médaillon sont illustrées ci-dessus.

Le vocabulaire de la traite des fourrures

Voyageurs

On désigne ainsi les canoteurs canadiens français expérimentés qui transportent de lourdes charges à travers le continent en pagayant de 14 à 16 heures par jour. Ils sont fiers de leur force et de leur endurance. Le chapeau coloré et la ceinture fléchée tissée à la main qu'ils portent deviennent le véritable uniforme de la traite des fourrures. Les voyageurs possèdent chacun leurs propres avirons qu'ils décorent de motifs multicolores et ils y attachent une grande importance, un peu comme, de nos jours, les bâtons des gardiens de but au hockey. Les voyageurs n'ont aucune possibilité de jamais devenir un partenaire ou même un commis de la compagnie; leur dur métier leur use la santé et les force à prendre leur retraite vers l'âge de 40 ans. La fierté d'un voyageur est de descendre des rapides dangereux, de survivre dans la nature et de se faire reconnaître pour sa robustesse.

Portages

Durant leurs voyages en canot, les trappeurs doivent souvent passer d'un lac ou d'une rivière à l'autre à pied pour éviter les chutes d'eau et les rapides dangereux. Les voyageurs doivent portager en transportant le canot, l'équipement et le chargement sur leur dos sur une distance de plusieurs kilomètres. Leurs lourds sacs à dos sont retenus à leur front par des courroies en cuir. Ces hommes au dos solide transportent deux ou trois sacs de 40 kg à la fois sur la distance du portage, puis ils retournent pour une autre charge. En tout, il faut portager 36 fois des chargements et des canots pesant environ 3600 kg pendant le voyage de Montréal à la baie Géorgienne.

Décharges *(demi-portages)*

Lorsque les rivières au courant fort et les rapides le permettent, les voyageurs essaient d'éviter de portager. Pour cela, ils laissent une partie du chargement dans les canots qu'ils tirent avec des cordes en marchant le long du rivage.

Brigade *(convoi de canots)*

Lorsqu'ils transportent des pelleteries et des marchandises de traite, les trappeurs voyagent en gros convois, appelés brigades. Une telle caravane peut comprendre jusqu'à 300 canots.

Bourgeois

C'est le patron. Dans le canot, il prend place juste derrière le siège du milieu, mais il ne pagaie pas. Le bourgeois est habituellement un des partenaires de la compagnie de fourrures et le drapeau de celle-ci flotte fièrement à la proue de son canot. Pour maintenir la discipline chez les Amérindiens, les commis et les voyageurs, le bourgeois doit être un bon chef. Il représente la loi et l'ordre dans les régions éloignées et doit souvent trancher des cas difficiles sur-le-champ.

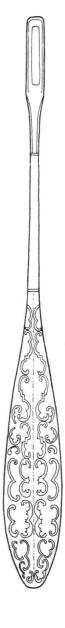

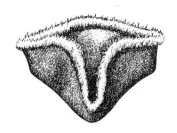 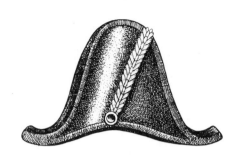 

Chapeaux militaires en castor

La Vieille

C'est le nom que donnent les voyageurs au vent. En arrivant à la baie Géorgienne dans le lac Huron, où des tempêtes soudaines peuvent détruire leurs canots, les voyageurs superstitieux jettent des babioles et du tabac dans l'eau en guise de cadeau à «la Vieille» pour l'apaiser.

Pays d'en haut

C'est ainsi qu'on appelle les territoires situés dans le nord-ouest au-delà de Grand Portage, l'entrepôt.

Entrepôt

Ce terme fait référence à Grand Portage (appelé Fort William après 1803), l'endroit où les canots du maître (en provenance de Montréal) rencontrent les canots du nord pour échanger leurs chargements de marchandises de troc contre des chargements de pelleteries. Ce point de rencontre est indispensable, car les longs canots du maître ne peuvent naviguer sur les rivières étroites et rapides du Nord-Ouest et les canots du nord sont trop petits pour résister aux grosses vagues et aux tempêtes soudaines des Grands Lacs.

Chapeaux de ville en castor

Métis
Plusieurs explorateurs épousent des femmes indigènes, ce qui donne naissance dans le nord-ouest du pays à une race de sang-mêlé, mi-blanche et mi-amérindienne.

Hommes du Nord
Seuls quelques centaines d'individus de cette époque légendaire peuvent se vanter d'être des hommes du nord. C'est un titre très respecté impliquant une cérémonie d'initiation durant laquelle le nouveau venu est aspergé d'eau et doit prêter serment.

Mangeurs de lard
Les voyageurs sur le chemin de Montréal mangent des pois secs ou des haricots, des biscuits de mer et du porc salé. Les durs hommes du nord trouvent que ces voyageurs mangent très bien et les traitent de mangeurs de lard.

Bouillie de maïs et graisse d'ours
Dans la région du lac Huron, la nourriture habituelle est la bouillie de maïs, c'est-à-dire du «blé d'Inde» mélangé à du lard ou de la graisse d'ours.

Pemmican

Dans les régions du nord-ouest, depuis le lac de la Pluie jusqu'aux Rocheuses, on mange surtout du pemmican (viande de bison pilonnée et séchée sur laquelle on verse du suif liquéfié). Pour en raffiner la saveur on y ajoute parfois des petits fruits. Le pemmican est hautement concentré et très nutritif; il se garde pendant des mois. Les voyageurs le transportent dans des contenants de 40 kg en peau de bêtes.

Pot au beurre

À Grand Portage, un ruisseau sépare les rangées de canots du maître renversés sous lesquels les mangeurs de lard dorment et les centaines de tentes des hommes du nord. Des bagarres à coups de poings éclatent sans cesse à la suite des insultes que se lancent les deux groupes pour prouver leur supériorité. Après la bagarre, on enferme les combattants dans le «pot au beurre», la prison du poste, où ils dessoûlent et retrouvent leur calme.

Le trappeur poète

Un employé de la Compagnie de la Baie d'Hudson, Henry Kelsey, est le premier Blanc à atteindre la prairie de l'ouest et à voir un bison. Il tient un journal dans lequel il note ses expériences et ses impressions dans un langage poétique, ce qui cause une certaine confusion chez les historiens qui essaient de comprendre ses écrits. Voici par exemple ce qu'il dit au sujet de la route qu'il prend pour se rendre à Le Pas, au Manitoba, en 1690:

La distance d'ici, d'après moi, est environ
De 600 milles au sud-ouest de la Maison
Par des rivières avec cascades au bout
Trente-trois portages, cinq lacs en tout.

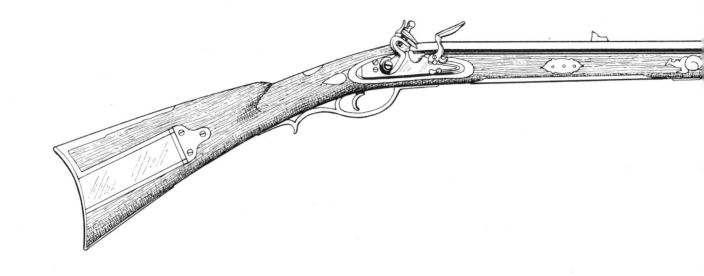

Les partenaires indigènes

Les itinéraires des voyages en canot, empruntés par les voyageurs, ont été élaborés par les Amérindiens depuis la dernière période glaciaire. Dans l'organisation du commerce de la fourrure, les Amérindiens sont des partenaires économiques et on entretient avec eux des relations amicales basées sur la confiance et l'égalité. Les compagnies de traite représentent la loi et l'ordre dans ces régions sauvages; le succès de leur commerce dépend des bonnes relations avec les indigènes qui leur fournissent les pelleteries.

Cette situation est à l'opposé de celle qui existe dans l'Ouest américain où les intrus blancs sont des colons qui considèrent les Amérindiens comme des ennemis qu'ils doivent chasser de leurs terres. La loi et l'ordre de l'homme blanc y sont assurés par des shérifs et des commissaires de police élus qui représentent rarement les indigènes.

Un scénario de film

Il te faut:
un stylo ou un crayon et du papier **ou** un ordinateur équipé d'un traitement de texte

Marche à suivre:
1. Invente des personnages et une intrigue, comme:
   - un homme du nord rencontre un mangeur de lard;
   - une vieille Amérindienne, ou un vieil Amérindien, donne des conseils à un jeune;
   - deux femmes métisses parlent ensemble d'un jeune bourgeois séduisant.

2. Crée des dialogues.
   - Chaque personnage doit avoir un nom et une personnalité propres;
   - Utilise le plus grand nombre possible de mots tirés du vocabulaire de la traite des fourrures;
   - Les émotions et les actions des personnages doivent aller en crescendo, c'est-à-dire augmenter progressivement d'intensité jusqu'au dénouement (réaction physique, prise de décision, conclusion d'une entente, etc.).

3. Sers-toi de costumes et d'accessoires; utilise du maquillage, des avirons de canot ou des armes jouets.

4. Mets ton scénario en scène avec des amis. Si tu possèdes un caméscope, enregistre ces répétitions.

CHAPITRE 3 Les femmes et la traite des fourrures

Les indigènes et les métisses

Les femmes amérindiennes et métisses du Nord-Ouest ne reçoivent que rarement la reconnaissance et les honneurs auxquels elles ont droit. Leurs noms n'apparaissent pas dans nos livres d'histoire et pourtant elles sont aussi courageuses et tenaces que les hommes.

Les trappeurs obtiennent de ces femmes toute leur nourriture. Elles apprêtent le gibier, découpent la viande en bandes et la mettent à sécher au soleil ou au-dessus du feu. Avec des maillets de pierre et une bûche creuse, elles pilonnent la viande de bison séchée pour en faire du pemmican. Leurs martèlements, rappelant les sons cadencés du tam-tam, s'entendent à des kilomètres à la ronde dans les prairies et les forêts. Elles déposent ensuite 22 kg de viande maigre dans un sac en peau de bison et versent dessus 18 kg de graisse liquéfiée pour sceller. Enfin, elles chargent ces gros paquets de 40 kg de pemmican dans les canots.

Les voyageurs confient aussi aux femmes la tâche de maintenir leurs canots d'écorce en bonne condition. À chaque étape, elles examinent les embarcations, réparent les fissures et les déchirures avec du *watope*, préparé avec des racines de cèdre, et scellent leurs réparations avec de la gomme d'épinette. Elles doivent recueillir elles-mêmes le watope et la gomme d'épinette dans la forêt et les préparer.

Les Amérindiennes s'occupent aussi des vêtements et de l'équipement: elles fabriquent les raquettes, les vestes en peau de daim et les mocassins des hommes. De plus, lorsqu'on manque de chevaux ou de *travois* tirés par des chiens, les femmes transportent elles-mêmes de lourdes charges. Les hommes indigènes, eux, refusent de le faire, car ils considèrent ce travail dégradant pour un guerrier.

Plusieurs trappeurs prennent une femme amérindienne comme épouse ou petite amie pour leur tenir compagnie durant leurs voyages. La plupart de ces Blancs abandonnent par la suite femmes et enfants lorsqu'ils cessent de faire la traite des fourrures et retournent chez eux. Ce n'est cependant pas une relation aussi unilatérale qu'il n'y paraît. Pour les jeunes femmes indigènes, devenir la partenaire d'un aventurier riche et séduisant est très attirant; souvent, le mariage de la fille d'un chef amérindien à un trappeur fait partie d'une entente commerciale entre les deux parties. L'Amérindienne est en contact direct avec les marchandises de troc en provenance de l'Est et cela procure une position influente à sa tribu; pour le voyageur, c'est l'assurance que sa nouvelle famille ne vendra pas ses pelleteries à une compagnie rivale.

Dans le Nord-Ouest, la cérémonie du mariage se déroule très simplement, «à la façon du nord». L'homme offre en cadeau au père de sa fiancée une couverture, un fusil ou un cheval. Si ce dernier accepte son présent, le mariage devient officiel.

Les jeunes mariées

À l'époque de la traite des fourrures, les filles se marient très jeunes, dès qu'elles sont en âge d'avoir des enfants. Le célèbre explorateur Pierre de La Vérendrye, par exemple, se fiance à Marie-Anne Dandonneau lorsqu'elle n'est âgée que de 12 ans.

Le grand amour

Daniel Harmon, un jeune trappeur issu d'une famille puritaine de la Nouvelle-Angleterre, se vante qu'il n'épousera jamais une indigène. Toutefois, lorsqu'un chef amérindien lui offre sa fille de 14 ans, Harmon succombe aux charmes de celle-ci. Sa première idée est d'abandonner sa femme lorsqu'il quittera la traite des fourrures, mais au bout de 19 ans il est toujours très amoureux et ne peut se séparer d'elle. Il la ramène donc avec ses enfants en Nouvelle-Angleterre où la famille s'installe.

Une femme «fatale»

Après une fête du jour de l'An à l'un des postes de traite de la Prairie, Alexander Henry fils ramène une femme indigène chez lui. Le lendemain, il lui demande de retourner chez elle, mais elle refuse. Henry part à la chasse aux bisons et, lorsqu'il revient quelques jours plus tard, l'Amérindienne est toujours dans sa maison. Rien ne peut la convaincre de retourner dans sa tribu. Le jeune homme écrit dans son journal: «Même le diable n'aurait pu s'en débarrasser.» Il l'épouse donc et le couple connaît plusieurs années de bonheur.

Le coup de foudre

En passant par le poste de traite de l'île à la Crosse durant l'été de 1799, David Thompson rencontre Charlotte Small, une métisse de sang irlandais et cri; elle est âgée de 14 ans et a une longue chevelure noire. Il en devient amoureux et l'épouse sur-le-champ. Elle l'accompagne fidèlement durant ses explorations des montagnes Rocheuses. Thompson fonde une famille avec elle et ils ont 16 enfants.

Les femmes amérindiennes se plaisent à découper des motifs d'écorce de bouleau qu'elles utilisent dans leur décorations de perles.

Un panier d'écorce de bouleau

Les Amérindiennes fabriquent des paniers et autres contenants avec l'écorce des bouleaux. À l'aide de la forme de la page 23 et des instructions ci-dessous, tu pourras toi aussi réaliser ton propre panier d'écorce de bouleau.

Il te faut:
des ciseaux
de la colle blanche

Marche à suivre:

1. Découpe la grande forme en «bouleau».

2. Applique de la colle sur une des languettes marquées d'un point (.). Ramène le côté opposé dessus et presse-le sur la surface encollée (n'utilise pas trop de colle pour éviter les bavures et les boursouflures). Répète l'opération pour les trois autres coins. Ton panier est maintenant prêt pour la cueillette des petits fruits.

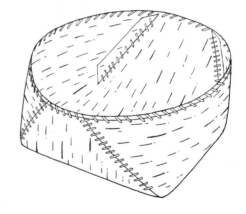

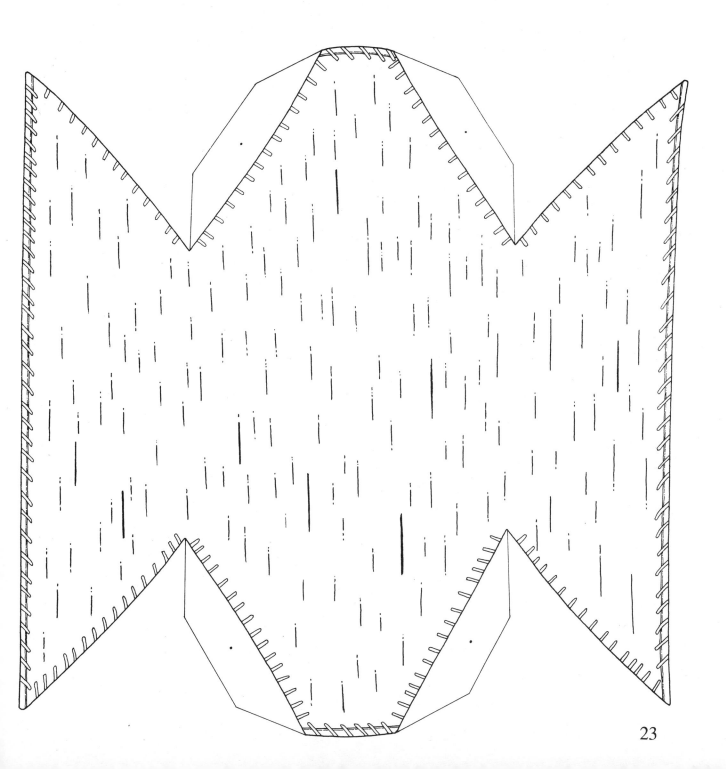

23

Découpe de l'autre côté.

24

CHAPITRE 4 *La «baie au nord»*

Pierre Radisson

 Lorsque tu sors jouer avec tes amis, ta mère et ton père te disent sûrement: «Ne va pas trop loin!», «Sois prudent!» ou «Ne parle pas aux étrangers!».

Lorsque le jeune Pierre Radisson, alors âgé de 16 ans, décide d'aller chasser avec deux amis près de Trois-Rivières en 1651, ses parents lui donnent probablement des conseils similaires. La famille est arrivée de France cette année-là et la beauté sauvage des denses forêts canadiennes attire le jeune Français.

Soudain, une bande de grands guerriers iroquois attaquent les trois adolescents. Les jeunes sont pétrifiés de terreur et tremblent de la tête aux pieds pendant que les Amérindiens les dépouillent de leurs vêtements et les ramènent à leur campement.

Arrivés au village iroquois, les jeunes Blancs sont placés au bout de deux rangées de guerriers féroces munis de gourdins qui crient et gesticulent. Radisson comprend ce qui va arriver: déjà épuisé, il devra courir entre ces rangs hostiles et les Iroquois tenteront de l'assommer. Ce n'est qu'un jeu pour eux, mais pour le jeune Français cela signifie une mort quasi certaine.

Bien décidé à se montrer brave, Radisson s'élance en fonçant, sautant et zigzaguant à toute vitesse et, à son grand étonnement, il atteint l'autre bout. Sa rapidité et son courage impressionnent tellement l'un des chefs, qu'il décide d'adopter le jeune garçon. Malheureusement, les deux compagnons de Radisson ne sont pas aussi agiles et ils périssent sous les coups.

Durant plus de deux ans, Radisson vit avec les Amérindiens, adopte leurs coutumes, s'habille comme eux et se peint même le corps selon leur rituel. Fina-

lement, le jeune homme réussit à s'enfuir et revient en mars 1654 à Trois-Rivières. Ses épreuves en captivité lui ont appris à vivre dans les bois. Il devient un coureur de bois et part pour un voyage de traite.

En 1660, Radisson s'associe à Des Groseilliers, son beau-frère, et ils préparent un expédition périlleuse dans les territoires inconnus du nord-ouest pour chercher des pelleteries. Les deux associés demandent au gouverneur un permis, qui leur est refusé, mais ils partent quand même en direction de la région du lac Supérieur. Grâce à l'aide de leurs amis cris et sioux, les trappeurs reviennent à Montréal avec 300 canots débordants de précieuses pelleteries. Le gouverneur saisit 90 pour cent de leur chargement pour les punir de s'être livrés à la traite sans sa permission.

Radisson et Des Groseilliers, enragés à cause de cette injustice, quittent en secret la colonie en 1661 et se mettent en route pour le Nord-Ouest. Ils y découvrent la «baie au nord», qui est en fait la baie d'Hudson.

L'imagination fertile de Radisson lui fait tout de suite entrevoir les possibilités de cette découverte. De grands navires pourraient venir directement d'Europe par le nord jusqu'aux côtes de la baie d'Hudson et ramener une plus grande quantité de fourrures qu'on ne peut transporter dans de petits canots; cela éviterait les longs voyages sur les rivières dangereuses et à travers les forêts inhospitalières. Malheureusement, les fonctionnaires français responsables de l'affrètement des navires rejettent le plan audacieux du coureur de bois.

Radisson se rend alors en Angleterre où le prince Rupert lui consent deux navires, le *Eaglet* et le *Nonsuch*. À l'arrivée du premier chargement de pelleteries en Angleterre, le roi octroie au prince Rupert une charte pour faire la traite dans les territoires du nord-ouest, qu'on baptise du nom de Terre de Rupert. Le rêve du trappeur trifluvien devient réalité avec la fondation de la Compagnie de la Baie d'Hudson.

Pierre Radisson, un des plus braves coureurs de bois et l'homme qui a ouvert la «baie au nord», meurt en Angleterre en 1710.

Torture ou épreuve?

Les Iroquois mènent une vie dure et périlleuse; dans leur culture, un garçon ne peut devenir un guerrier que s'il peut endurer la torture avec bravoure. De nos jours, on juge plutôt de la valeur des jeunes Canadiens et Canadiennes dans des épreuves sportives où ils peuvent montrer leur courage et leur endurance.

Les canots de la traite des fourrures

À l'époque des explorateurs, les rivières et les lacs servent de routes. De nos jours, on transporte les marchandises à travers le continent par camion, par train ou par avion, mais au début de la colonie, le canot est le principal moyen de transport.

Canot du nord

Le plus petit canot du nord, mesurant huit mètres de long et plus d'un mètre de large, ménage de la place pour un équipage de quatre à huit hommes. Il ne peut transporter que la moitié de la cargaison d'un canot du maître, c'est-à-dire environ 1500 kg. Un bon voyageur peut pagayer à 40 coups d'aviron à la minute de l'aube jusqu'au crépuscule. Lors de courses sportives de canots sur le lac Winnipeg, la moyenne des trappeurs est même de 60 coups à la minute. Une fois,

deux équipages font la course pendant 40 heures jusqu'à ce qu'un bourgeois leur ordonne de s'arrêter.

Canot du maître

Le canot du maître est une plus grande embarcation, d'environ onze mètres de long et deux mètres de large, qui peut transporter 3000 kg et un équipage de six à douze personnes. Même s'il ne comporte aucune pièce de métal, ce canot peut affronter les eaux houleuses des Grands Lacs et les rapides dangereux de la rivière des Outaouais. Toutefois, ce canot géant est trop gros pour pouvoir remonter les plus petites rivières se trouvant entre le lac Supérieur et le lac Athabasca.

Les canots «express»

Quand les compagnies de fourrures veulent envoyer une nouvelle ou un message urgent (courrier, ordres, changement du marché, début ou fin d'une guerre, etc.), elles utilisent jusqu'à quatorze hommes dans un canot du maître, ou neuf dans un canot du nord, pour privilégier la rapidité au lieu de la capacité de chargement. Pour un fier voyageur, c'est un grand honneur d'être choisi pour pagayer dans un canot «express». Ainsi, six hommes du nord amènent Roderick McKenzie sur une distance de 3200 km du lac de la Pluie jusqu'à Fort Chipewyan en un mois et quatre jours seulement.

Les bateaux York

En 1774, Samuel Hearne établit le premier poste de traite à l'intérieur des terres entourant la baie d'Hudson et le nomme Cumberland House. Ce poste est relié aux montagnes Rocheuses et au lac Winnipeg via la rivière Saskatchewan.

À partir de 1797, la Compagnie de la Baie d'Hudson se sert de bateaux York, à faible tirant d'eau, pour voyager de York Factory à Edmonton et sur les grands cours d'eau à l'ouest du lac Winnipeg. La Compagnie du Nord-Ouest utilise quant à elle des canots du nord. Les bateaux York sont des voiliers pointus à l'avant et à l'arrière, et un peu plus larges que les canots du maître; ils peuvent transporter environ la même quantité de marchandises que ceux-ci. Ils ne requièrent qu'un équipage de six à neuf marins des Orcades et n'ont pas besoin des services des voyageurs à l'aviron. Les bateaux York sont aussi plus durables et font réaliser des économies de 33 pour cent par rapport aux canots. À cause de leur grand poids, il faut les tirer ou les rouler sur des rondins dans les portages, ce qui fait qu'on ne peut les utiliser sur les petites rivières rocailleuses au nord de la rivière Saskatchewan.

Le Nonsuch

31

FORT DE TRAITE DES FOURRURES SUR LA BAIE D'HUDSON VERS 1775

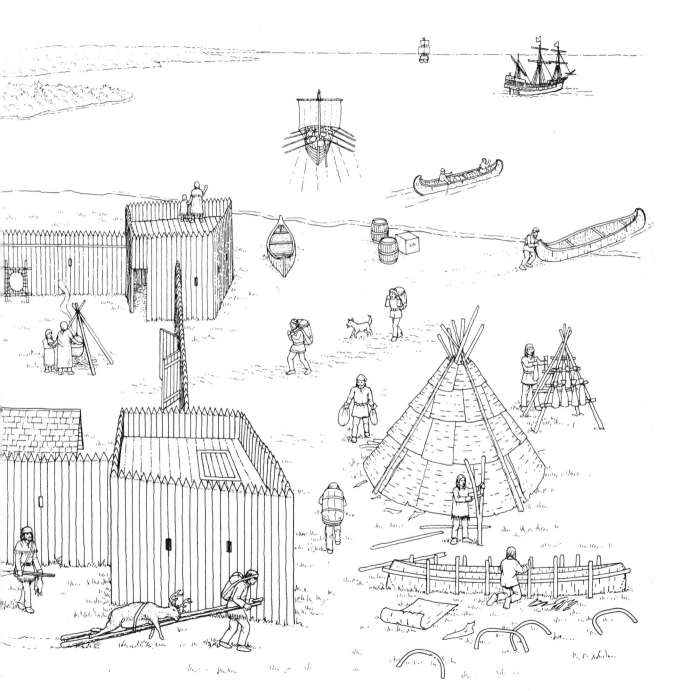

Un canot d'écorce

L'écorce de bouleau renferme une huile qui la rend imperméable à l'eau. Plusieurs tribus amérindiennes utilisent l'écorce de bouleau dans la fabrication des canots. En suivant les instructions et en utilisant la forme de la page 35, fabrique ta propre maquette de canot en papier.

Il te faut:
> des ciseaux
> de la colle blanche
> des crayons de couleur
> un outil à rayer

Marche à suivre:

1. Colorie les morceaux du canot avant de les découper. Ne colorie pas les languettes à coller. Suggestion de couleurs:
> - l'intérieur du canot et les traversins (les barres de traverse), brun clair;
> - les avirons, brun clair avec les bouts rouges ou jaunes;
> - les fargues (le rebord de bois sur les côtés) du canot, brun clair;
> - l'écorce de bouleau demeure blanche.

2. Découpe le morceau de la coque. Pratique une raie légère le long des bords de la proue et de la poupe. Applique de la colle sur l'intérieur de ces bords et presse-les délicatement ensemble.

3. Lorsque c'est sec, applique de la colle sur les quatre languettes de couture, une par une, et presse-les ensemble.

4. Découpe et plie les traversins et colle-les ensemble. Lorsqu'ils sont secs,

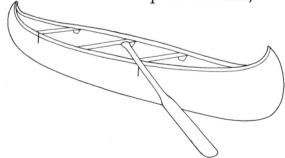

colle-les en place: le grand au centre et les deux autres près de chaque bout du canot.

5. Plie les avirons et colle-les ensemble. Lorsqu'ils sont secs, découpe-les et place-les à l'intérieur du canot.

Pour faire flotter ton canot sur l'eau, imperméabilise-le en appliquant une mince couche d'huile végétale à l'extérieur.

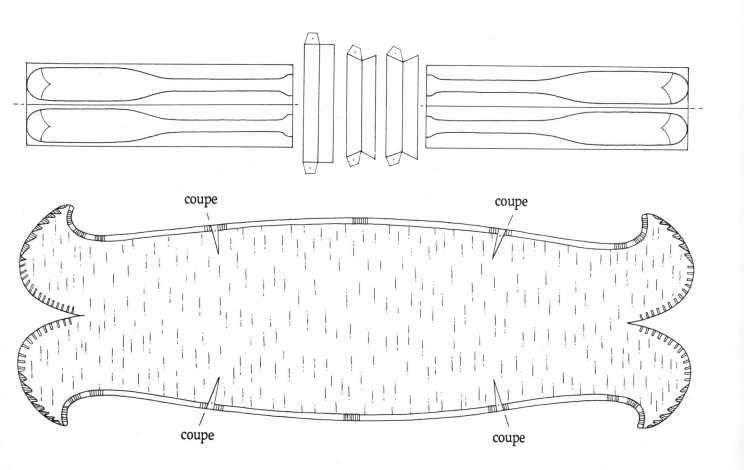

coupe

coupe

coupe

coupe

Découpe de l'autre côté.

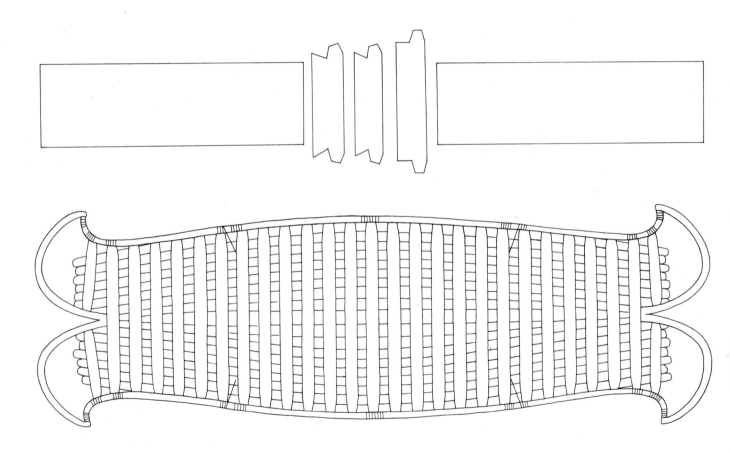

CHAPITRE 5 Vers l'ouest jusqu'aux Rocheuses

La Vérendrye et ses fils

Tous les gens se fixent un but dans la vie, un rêve qu'ils désirent ardemment réaliser. Certains, comme Pierre de La Vérendrye, consacrent toute leur vie à une tâche précise, mais ne réussissent pas à la terminer. C'est comme dans le sport, tout le monde ne peut pas gagner. La récompense de nos actions est toutefois de savoir qu'on a fait de notre mieux tout en vivant une belle aventure.

La Vérendrye est le premier des explorateurs trappeurs à être né au Canada. Il devient un cadet naval à l'âge de 12 ans et étudie les manoeuvres militaires, les techniques de campement, les mathématiques, la cartographie, la géodésie, la comptabilité et les premiers soins. Durant son adolescence, il écoute avec intérêt les histoires des coureurs de bois au sujet des «pays d'en haut» (le Nord-Ouest) et de la mer de l'Ouest. Il devient troqueur de fourrures et son premier poste est à Fort Sainte-Anne à Nipigon, au bout du lac Supérieur. La Vérendrye et sa femme Marie-Anne ont six enfants, dont quatre garçons. Ces fils, devenus adolescents, se joignent à leur père pour faire la traite des fourrures.

Même si La Vérendrye gagne sa vie en faisant la traite des fourrures, son vrai but est d'explorer le pays pour atteindre la mer de l'Ouest et découvrir une nouvelle route pour la Chine. Les Amérindiens qui apportent leurs fourrures à son fort lui parlent d'une tribu du Nord-Ouest hors de l'ordinaire, les Mandanes, vivant dans des maisons plutôt que des wigwams, se nourrissant de leurs récoltes et non de gibier, et ayant la peau blanche. Le Français décide de partir à la recherche de cette tribu mystérieuse.

Lorsque La Vérendrye et deux de ses fils atteignent enfin le village des Mandanes, ils sont déçus, car ces indigènes ne vivent pas sur le bord de la mer de l'Ouest. Ils sont plutôt installés dans la prairie qui s'étend à perte de vue. La Vérendrye retourne à son fort en laissant ses fils François et Louis-Joseph poursuivre leurs recherches.

Le 29 avril 1742, les deux jeunes repartent vers l'ouest. Vers la fin de juillet, ils traversent le Missouri et se dirigent vers le sud-ouest. Au moment où leurs guides mandanes refusent de les accompagner plus loin, les jeunes hommes rencontrent un groupe d'indigènes de la tribu des Crow. Ceux-ci ne connaissent pas l'existence de la mer de l'Ouest, mais ils proposent de les conduire à une autre tribu. C'est ainsi qu'ils continuent leur périple vers l'ouest, de tribu en tribu, jusqu'à ce qu'ils arrivent chez les Horses. Cette tribu subit les attaques des Shoshonis qui détruisent leurs villages et capturent leurs femmes et leurs enfants pour en faire des esclaves.

Les frères La Vérendrye ne peuvent persuader les Horses de les amener chez les Shoshonis, mais une autre tribu, celle des Bow (faisant partie des Pawnees), invite les Français à se joindre à eux pour attaquer les Shoshonis. Ceux-ci acceptent puisque cela les fera avancer vers l'ouest.

Ils rejoignent plus de 2000 fiers guerriers, des cavaliers décorés de peintures de guerre et tenant des boucliers en peaux de bison. Leurs femmes et leurs enfants les accompagnent derrière, ainsi qu'une meute de chiens à demi sauvages tirant des travois.

Le premier de l'an 1743, les frères La Vérendrye sont les premiers Blancs à contempler la chaîne des Rocheuses lorsqu'ils aperçoivent les montagnes Bighorn du Wyoming actuel. Les deux Français sont convaincus que, s'ils réussissent à traverser ces montagnes, ils trouveront la mer de l'Ouest.

Un groupe de Mandanes exécutant la danse du Bison (d'après George Catlind).

Cependant, le destin joue contre les jeunes Blancs. Les hommes de la tribu des Bow ont laissé leurs femmes et leurs enfants à quelques jours de voyage de là. En arrivant au village des Shoshonis, ils le trouvent abandonné. Les Amérindiens croient que leurs ennemis les ont contournés et sont allés attaquer leurs familles laissées sans défense. Ils reviennent à toute vitesse à leur campement et retrouvent les leurs sains et saufs; c'était une fausse alarme. Toutefois, les Bow décident de retourner dans leur territoire et les La Vérendrye doivent les accompagner. Ils abandonnent à regret les montagnes Rocheuses sans avoir réussi à atteindre la mer de l'Ouest.

Pierre de La Vérendrye tombe subitement malade et meurt à Montréal le 5 décembre 1749 à l'âge de 64 ans. Peu avant sa mort, il planifie un nouveau voyage dans le Nord-Ouest qui emprunterait la rivière Saskatchewan. Six ans plus tard, Anthony Henday, de la Compagnie de la Baie d'Hudson, accomplit ce voyage et devient le premier explorateur à voir les Rocheuses canadiennes.

Une découverte historique

Lorsque La Vérendrye envoie ses deux fils, François et Louis-Joseph, en expédition dans le Nord-Ouest, il leur confie une plaque de plomb sur laquelle est gravée en latin:

Dans la 26ᵉ année du règne de Louis XV par la grâce de Dieu notre souverain glorieux. Par la grâce de Dieu marquis de Beauharnois, 1741. Déposé par Pierre Gaultier de La Vérendrye.

Ses fils enterrent cette plaque le 30 mars 1743. Des écoliers la découvrent en 1913 près de la ville de Pierre, dans le Dakota du Sud.

L'astrolabe

Dans leur voyage à travers le continent, François et Louis-Joseph La Vérendrye transportent un astrolabe dans leurs bagages. Cet instrument de navigation du seizième siècle leur permet de déterminer leur position géographique.

Un wigwam amérindien

Les Amérindiens de la prairie fabriquent leurs wigwams avec des peaux de bison cousues ensemble et tendues sur des perches. En utilisant la forme de la page 43, suis les instructions pour la fabrication de ton propre wigwam.

Il te faut:
des ciseaux
de la colle blanche
des crayons de couleur
un outil à rayer

Marche à suivre:

1. Colorie le motif géométrique du wigwam avec des couleurs vives. Ne colorie pas les languettes à coller.

2. Découpe le wigwam.

3. Fais une raie le long de la ligne de pliage des rabats de ventilation et replie-les.

4. Applique de la colle sur les languettes au-dessus et au-dessous de la porte. Place-les sous la partie opposée de la porte et presse bien. Laisse sécher la colle.

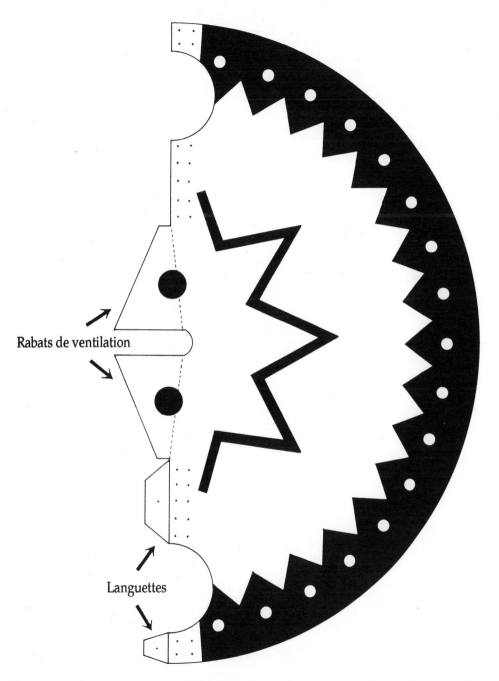

Rabats de ventilation

Languettes

En utilisant cette même forme, tu peux fabriquer plusieurs wigwams pour créer un village complet.

Découpe de l'autre côté.

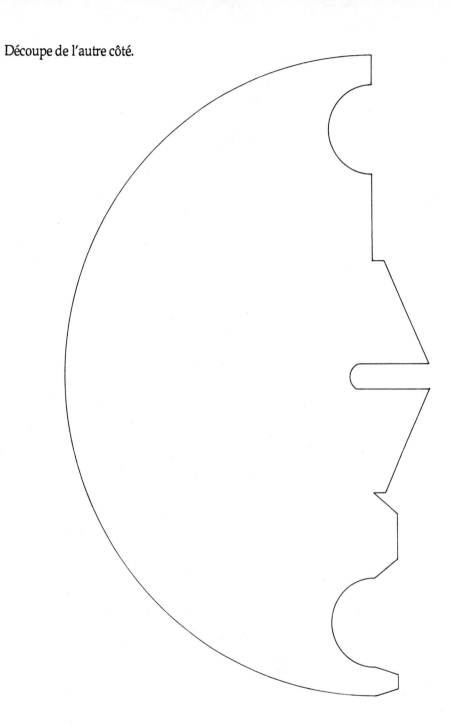

6 La première traversée du continent

Alexander Mackenzie

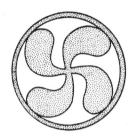

En superficie, le Canada est le deuxième plus grand pays du monde. Il s'étend de l'océan Atlantique jusqu'à l'océan Pacifique. Cette situation géographique exceptionnelle pose à ses habitants le défi de conquérir cet immense espace.

Il y a constamment des Canadiens qui se mettent en route pour traverser le continent «d'un océan à l'autre» (la devise de notre pays). Un jour, ce sera peut-être ton tour. Certains le font en marchant, en courant, en auto-stop ou à vélo. D'autres voyagent en motocyclettes, en voitures, en camping-cars ou en camions. On en rencontre encore qui préfèrent le train, l'avion, les montgolfières ou les chariots de pionniers. On a aussi l'exemple du courage de Terry Fox et de Rick Hanson, deux handicapés qui ont tenté cette traversée en vue de ramasser des fonds pour des oeuvres charitables.

Le premier Blanc à traverser le continent nord-américain est un jeune négociant en fourrures (troqueur), Alexander Mackenzie. Personne n'avait encore trouvé un passage jusqu'à l'océan Pacifique à travers les montagnes Rocheuses quand il se met en route en 1792 pour tenter sa chance. Son canot d'écorce de boulot de huit mètres de long emmène aussi six voyageurs, deux chasseurs amérindiens et son assistant, Alexander Mackay. Vers la mi-mai, les explorateurs atteignent les rapides impétueux et dangereux du canyon de la rivière La Paix, où il est impossible de diriger la canot à l'aviron.

Plus tard, alors que le groupe de Mackenzie remonte lentement la rivière Parsnip, un groupe de chasseurs sekanis surgit de la forêt avec leurs arcs bandés et leurs flèches pointées sur les Blancs. Après avoir ordonné à ses hommes de ne pas prendre leurs armes, Mackenzie s'avance vers les Sekanis et, en leur offrant des perles de ver-

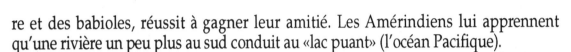

re et des babioles, réussit à gagner leur amitié. Les Amérindiens lui apprennent qu'une rivière un peu plus au sud conduit au «lac puant» (l'océan Pacifique).

Le groupe poursuit son ascension et découvre que la rivière Parsnip se dissémine en un labyrinthe de petits cours d'eau. Le 17 juin 1793, les explorateurs sont les premiers Blancs à traverser la ligne de partage des eaux des Rocheuses. Ils se mettent ensuite à redescendre le courant, à la recherche d'une rivière qui les mènera jusqu'à l'océan. Malheureusement, des rapides brisent leur canot sur des rochers; le groupe perd presque toutes ses munitions. Trempés et révoltés, les hommes demandent à retourner chez eux. Mackenzie les convainc de ne pas abandonner en leur parlant de la «disgrâce» de leur défaite s'ils renoncent à leur but.

Le 18 juin 1793, lorsque les explorateurs atteignent ce qu'on baptisera plus tard le fleuve Fraser, ils doivent affronter des flèches tirées depuis les rives du cours d'eau. Ces flèches proviennent de guerriers de la tribu des Carrier qu'ils réussissent à amadouer avec des cadeaux. Leur chef leur révèle alors l'existence d'une rivière plus navigable située vers l'ouest.

Après un parcours laborieux de deux semaines sur des sentiers enneigés avec des charges de 40 kg sur le dos, Mackenzie et ses hommes descendent dans la vallée de la rivière Bella Coola. À cet endroit, un chef amérindien amical leur prête deux canots faits de troncs creusés ainsi qu'un équipage pour les conduire jusqu'à une anse côtière. En arrivant, ils constatent que son eau est salée: ils sont presque arrivés! Malheureusement, leurs guides amérindiens refusent de continuer.

47

Dans un autre village amérindien, Mackenzie obtient un canot rudimentaire et prenant l'eau qui l'amène avec ses hommes jusqu'à ce qui est maintenant le détroit Dean. Soudain, ils sont attaqués par des Amérindiens de la nation des Bella Bella dans trois canots. Leur chef prétend que d'autres hommes blancs dans «des canots de mer géants» sont venus auparavant sur son territoire et qu'un chef blanc nommé Macubah (Vancouver) a tiré sur lui. Le chef veut maintenant se venger. Lorsque dix autres canots chargés d'indigènes se joignent aux premiers, Mackenzie et ses hommes se préparent à tirer sur eux. Au lieu d'attaquer cependant, les Amérindiens se retirent mystérieusement.

Le lendemain matin, Mackenzie écrit dans son journal:

J'ai mélangé du vermillon avec de la graisse fondue et j'ai tracé les mots suivants sur le rocher où nous avons dormi durant la nuit: «Alexander Mackenzie, venu du Canada par voie de terre, le vingt-deuxième jour de juillet mil sept cent quatre-vingt-treize.»

De retour en classe

Mackenzie est déterminé à atteindre le Pacifique, mais il se rend compte qu'il lui faut plus que l'instinct des Amérindiens et leurs légendes pour y parvenir. Il décide alors de quitter la région sauvage du nord-ouest, pagaie jusqu'à Montréal et s'embarque dans un petit vaisseau pour l'Angleterre où il étudiera la navigation pendant un an et demi. Lorsqu'il revient en 1792, il détient les connaissances et les instruments nécessaires à l'accomplissement de son rêve.

Le fleuve Déception

Mackenzie atteint finalement l'océan Pacifique en 1793, mais ce n'était pas sa première tentative. En 1789, en compagnie de 13 compagnons dans trois canots, il suit le cours d'un fleuve inconnu vers le nord sur une distance de 2400 km pendant six semaines. Le cours d'eau, au lieu de se diriger vers l'ouest et de se déverser dans le Pacifique, l'amène plutôt jusqu'à l'océan Arctique. L'explorateur le baptise du nom de fleuve Déception; de nos jours, on le connaît comme le fleuve Mackenzie en l'honneur de son découvreur blanc.

Le chien perdu

Lorsque Alexander Mackenzie part à la recherche de la mer de l'ouest en 1792, ses compagnons sont Alexander Mackay (son lieutenant), deux Amérindiens, six voyageurs canadiens français et un chien. Durant un affrontement avec une tribu d'indigènes hostiles au village des Rascals (désignés ainsi par Mackenzie lui-même), le chien disparaît. Le chef des explorateurs écrit dans son journal que la perte de son chien lui cause beaucoup de peine. Il continue son périple vers l'océan Pacifique, mais à son retour, il doit repasser près du village des Rascals. Au milieu de la forêt dense, il rencontre son chien égaré, tremblant de peur et amaigri par la faim. Il accueille le chien avec joie, le nourrit et le ramène chez lui dans l'Est.

Les rapides

Voici une description tirée du journal d'Alexander Mackenzie, en date du 20 mai 1793.

Nous avançons maintenant avec beaucoup de difficulté au pied d'une paroi rocheuse élevée. Heureusement ce rocher n'est pas de pierre dure — nous avons pu y tailler des marches dans le roc sur une longueur de 20 pieds (6 mètres). Puis au risque de me rompre le cou, j'ai sauté sur le rocher en contrebas. Là, j'ai reçu sur mes épaules ceux qui me suivaient le long des marches. De cette manière, nous avons pu passer le rocher tous les quatre. Nous avons ensuite traîné le canot jusqu'à nous, mais cela l'a brisé sur les rochers dans l'eau.

Comme nous avançons, nous constatons que la vitesse et la force du courant s'intensifient. Sur un parcours de deux milles (3 km), nous devons décharger le canot quatre fois et tout transporter sur nos dos.

À cinq heures, nous arrivons à un endroit où la rivière est entièrement constituée de rapides... le courant est si fort qu'une vague, en frappant le canot, brise la ligne de touage. Nous craignons alors que le canot se brise en morceaux et que son équipage soit tué. Heureusement, une autre vague pousse l'embarcation hors des rapides; enfin, les hommes réussissent à ramener le canot sur la rive.

Aussi loin que l'on puisse voir, la rivière s'étale devant nous telle une plaque blanche d'écume tourbillonnante.

Le tenue d'un journal

Nous connaissons la vie des premiers trappeurs parce qu'ils tenaient leur journal. Essaie toi aussi de tenir un journal de tes idées et activités pendant une semaine. La chose la plus intéressante est de le relire un an plus tard et de te rendre compte combien ta vie et tes opinions ont changé depuis.

Il te faut:
un crayon ou un stylo
un petit carnet

Marche à suivre:

1. Un journal de traite de fourrures est un compte rendu des événements quotidiens de la vie. Enregistre ce qui se passe pendant ta journée.
Par exemple:
«Le 18 juillet 1990, je me réveille à 7:30 heures. Je me rends à vélo chez Jonathan. Julien, Caroline et Brigitte y sont déjà. Nous nous promenons ensemble à vélo en ville.»

2. Les explorateurs incluent des descriptions détaillées de leur environnement pour pouvoir par la suite en parler à leurs amis ou en tracer une carte géographique.
Par exemple:
«La crique située à l'ouest du village est beaucoup plus haute que d'habitude à cause des grosses pluies de la nuit dernière. L'eau semble dangereuse.»

3. Les trappeurs sont des hommes d'affaires; c'est pourquoi ils consignent le nombre de fourrures qu'ils obtiennent et les marchandises de troc qu'elles leur ont coûtées. Ton journal peut indiquer comment tu dépenses ton argent.
Par exemple:
«Nous sommes allés au centre commercial; j'ai acheté des verres fumés pour la somme de 7,95 $.»

4. Dans la traite des fourrures, on rapporte aussi les conflits personnels qui se produisent et ce qu'on en pense.
Par exemple:
«Julien agissait de manière étrange; il s'est querellé avec Brigitte. Je crois que quelque chose le préoccupe.»

5. On retrouve aussi dans le journal de ces pionniers des pensées personnelles.
Par exemple:
«Y a-t-il des centres commerciaux en Chine? Quelle serait ma vie, si j'étais Africain? Un jour, j'aimerais voyager autour du monde.

7 L'épreuve des rapides

Simon Fraser

Si tu es à même de choisir la personne avec qui tu travailles, tu veux pouvoir avoir confiance en elle et savoir qu'elle est loyale.

Simon Fraser est un employé loyal et fiable de la Compagnie du Nord-Ouest. Il est un homme du nord depuis l'âge de 16 ans, parcourant le Nord-Ouest de Grand Portage jusqu'en Nouvelle-Calédonie (Colombie britannique).

De grands navires à voiles naviguant sur l'océan Pacifique atteignent l'embouchure du fleuve Columbia; la Compagnie du Nord-Ouest veut donc à tout prix trouver un passage à travers les montagnes Rocheuses. En 1807, elle ordonne à Simon Fraser d'explorer la rivière Tacouche Tesse jusqu'au Pacifique pour savoir s'il s'agit du Columbia. Alexander Mackenzie avait évité ce cours d'eau, car ses eaux sont trop tumultueuses pour le descendre en canot.

Sans crainte, Fraser se met en route, accompagné de deux assistants (Stuart et Quesnel), 19 voyageurs et deux guides amérindiens. Au fil des jours, le fleuve devient de plus en plus violent. C'est de la folie de continuer, mais le chef de l'expédition a ses ordres et sa fierté l'oblige à s'y soumettre.

Les explorateurs arrivent à une gorge de trois kilomètres de long. Des parois élevées de roche rose se dressent de chaque côté. Cinq voyageurs s'y aventurent dans un canot léger, mais ils en perdent le contrôle et se mettent à tourbillonner dans les rapides écumeux, se frappant contre les parois rocheuses jusqu'à ce qu'ils s'écrasent sur un rocher en saillie. Pour aller les secourir, les autres membres du groupe taillent des marches sur le côté de la falaise et hissent les naufragés et leurs marchandises en haut de la paroi rocheuse verticale; ensuite, ils portagent autour de la gorge.

La situation empire cependant le 4 juin, quand les explorateurs parviennent à un énorme précipice bloquant toute la largeur du fleuve. En amont, se trouve une série de rapides et de remous. Il est impossible de portager, alors il faut qu'ils franchissent les rapides en canot. Étonnamment, les hommes réussissent à les traverser, puis ils reviennent ensuite chercher le chargement à pied. Pendant qu'il progresse prudemment le long du précipice rocheux avec une lourde charge sur le dos, un des hommes reste coincé. Il ne peut ni avancer ni reculer. Fraser rampe à quatre pattes pour le secourir et coupe les sangles de sa charge. Celle-ci va s'engloutir dans les tourbillons d'écume en contrebas. Libéré de ce poids, l'homme peut aller se mettre en sécurité.

Cinq jours plus tard, Fraser ne peut en croire ses yeux: les rapides sont encore plus tumultueux que les précédents! Encore une fois, il est impossible de portager et les courageux explorateurs doivent encore affronter les traîtres eaux écumeuses. Leur chef écrit dans son journal:

... l'eau s'engouffre à grande vitesse dans cet extraordinaire passage en vagues tumultueuses... voguant à la vitesse de l'éclair, les équipages se suivent dans un silence angoissé et, lorsque nous arrivons au bout, nous nous regardons les uns les autres en nous félicitant du regard d'avoir échappé de si peu à la destruction totale.

L'épreuve de Fraser et de ses hommes se poursuit jour après jour par la traversée de rapides terrifiants et de portages longs et pénibles. Leurs chaussures

en lambeaux découvrent leurs pieds enflés et meurtris. Souvent, ils doivent grimper dans des échelles de corde à demi pourries le long de parois rocheuses abruptes. Les hommes abandonnent plus tard leurs canots et, avec chacun une charge de 36 kg sur le dos, ils s'acheminent à pied vers l'océan.

Les explorateurs obtiennent par la suite de nouveaux canots des Amérindiens askettih au confluent de la rivière Thompson et du fleuve Fraser. D'autres rapides leur bloquent encore le chemin. À l'embouchure, les membres du groupe aperçoivent quelques phoques. Tous sont convaincus que l'océan n'est plus très loin. Fraser et ses hommes arrivent à un village déserté d'Amérindiens misquianes où, soudainement, des guerriers revêtus de «cottes de mailles» les attaquent en hurlant et en brandissant des gourdins; les Blancs réussissent à s'échapper.

Quand Fraser établit finalement sa latitude à l'embouchure du fleuve, elle est de 49° de latitude nord et non de 46° 20'. Ce cours d'eau n'est donc pas le Columbia. Fraser s'en retourne chez lui très déçu. Le fleuve qu'il a conquis porte aujourd'hui son nom.

Une expérience périlleuse

Un des hommes de Fraser, qui s'accroche à un canot renversé sur une distance de cinq kilomètres de rapides et de remous, décrit cette expérience en ces termes:

Je continue en travers du canot... j'ai à peine le temps de regarder autour de moi... Dans la deuxième ou troisième cascade, le canot plonge de très haut dans des tourbillons et, en frap-

pant le fond avec violence, se casse en deux. À ce moment, je perds connaissance... je retrouve vite mes esprits et suis très surpris de m'apercevoir que je flotte dans un courant calme et lent, avec seulement la moitié du canot entre mes bras.

Mille deux cents poignées de mains

Lorsque Simon Fraser arrive le 19 juin 1807 au village des Hacamaugh, il est reçu par leur chef qui lui prend le bras et l'amène dans l'agglomération. Fraser décrit plus tard cette rencontre:

Ici son peuple, au nombre de mille deux cents âmes, est assis en rangs, et je dois serrer la main de chacune d'entre elles!

Des dieux qui fument

En 1805, quand Fraser traverse les montagnes par le passage de la rivière La Paix et remonte la rivière Nechaco, il rencontre une tribu amérindienne appelée les Carrier. Lorsque les Carrier étonnés voient les hommes blancs qui soufflent de la fumée avec une pipe dans leur bouche, ils pensent qu'il s'agit d'êtres supérieurs doués de pouvoirs surnaturels.

La mangeuse de savon

Un jour, l'un des hommes de Fraser a l'idée de faire une blague à une des femmes de la tribu des Carrier et décide de lui offrir un morceau de savon au lieu de la viande. La plaisanterie se retourne contre le Blanc. L'Amérindienne mange le savon et, malgré les bulles qui s'échappent de sa bouche, elle semble en apprécier le goût pour le moins inhabituel.

Le jeu d'aventure du voyageur

Sur les pages suivantes se trouvent les instructions, la carte du jeu et les accessoires nécessaires au déroulement d'un excitant jeu d'aventure et de traite.

Il te faut:
2 à 4 joueurs
un dé à jouer
du papier
des ciseaux

Marche à suivre:

1. Avant de commencer le jeu, prépare six paquets d'équipement et six boîtes de marchandises de troc pour chaque joueur en utilisant le modèle à la page 60.

2. Fabrique aussi six ballots de fourrures et six paquets d'équipement par joueur, à placer dans la «réserve».

3. Découpe les cartes d'aventure à la page 61.

4. Lis les instructions du jeu à la page 63.

5. Fabrique ou choisis un «comptoir» (servant de pion) que tu peux déplacer sur le jeu. Tu peux utiliser un petit caillou, un bouton ou une capsule de bouteille, par exemple.

L'aventure

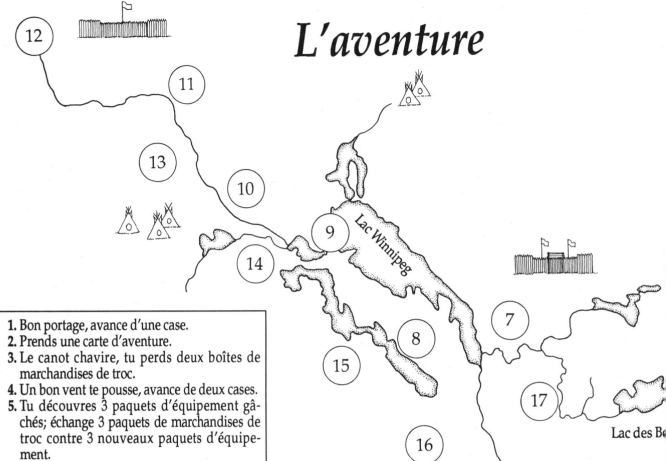

Lac Winnipeg

Lac des B⟮

1. Bon portage, avance d'une case.
2. Prends une carte d'aventure.
3. Le canot chavire, tu perds deux boîtes de marchandises de troc.
4. Un bon vent te pousse, avance de deux cases.
5. Tu découvres 3 paquets d'équipement gâchés; échange 3 paquets de marchandises de troc contre 3 nouveaux paquets d'équipement.
6. Prends une carte d'aventure.
7. Tu trouves un raccourci pour éviter les rapides, avance d'une case.
8. Tu dois réparer les joints du canot, rends un paquet d'équipement.
9. Tu n'as plus d'équipement, échange une boîte de marchandises de troc contre de l'équipement.
10. Le canot coule, tu t'en sors en perdant tout ton équipement. Retourne à Montréal et recommence.
11. Prends une carte d'aventure.

12. Tu es arrivé à mi-chemin, échange chaque boîte de marchandises de troc avec les indigènes contre un ballot de fourrures. Tu reçois 6 paquets de nouvel équipement de la réserve.
13. Tu perds un tour à cause d'une bagarre avec des compétiteurs.
14. Tu rencontres un courant rapide, avance d'une case.
15. Prends une carte d'aventure.

du voyageur

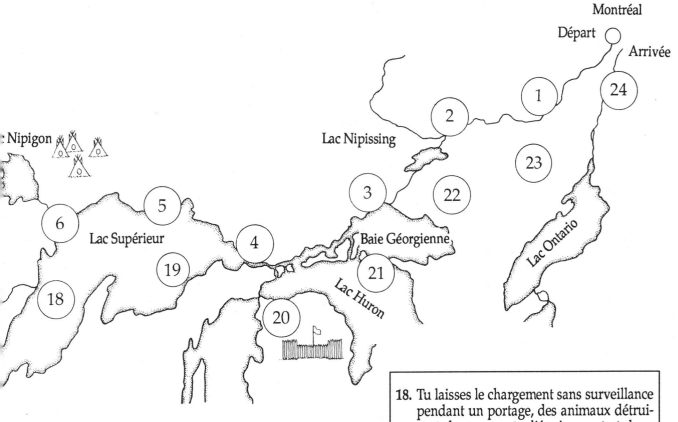

Montréal

Départ

Arrivée

Nipigon

Lac Nipissing

Lac Supérieur

Baie Géorgienne

Lac Huron

Lac Ontario

16. Il manque un canot, recule d'une case pour le retrouver.
17. Ton équipage est atteint d'une maladie étrange, remets deux paquets d'équipement.

18. Tu laisses le chargement sans surveillance pendant un portage, des animaux détruisent deux paquets d'équipement et deux boîtes de marchandises de troc.
19. Prends une carte d'aventure.
20. Le canot heurte un rondin submergé, tu perds la moitié de tes ballots de fourrures.
21. Prends une carte d'aventure.
22. Tu progresses bien, joue un autre tour.
23. Prends une carte d'aventure.

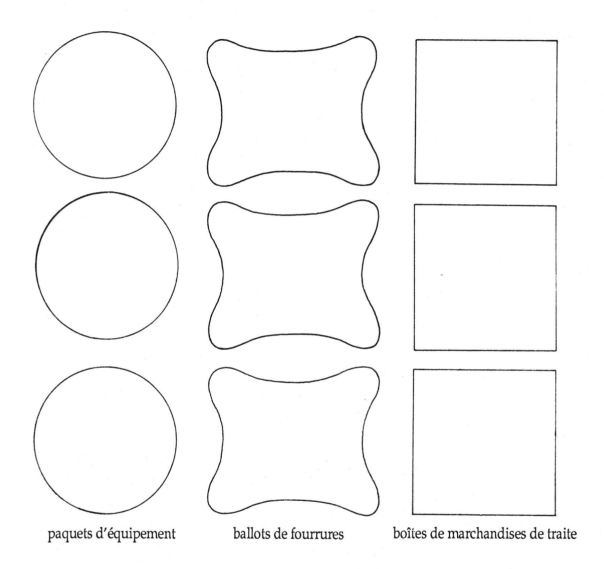

paquets d'équipement   ballots de fourrures   boîtes de marchandises de traite

Copie ces formes (selon les instructions de la page 57).

Cartes d'aventure:

Tempête de neige: tu perds deux paquets d'équipement, et une boîte de marchandises de troc ou un ballot de fourrures que tu remets dans la réserve.

Tu as pris la mauvaise route, recule de trois cases.

Attaque des Amérindiens: tu sauves la vie d'un de tes compétiteurs. Chacun des autres joueurs doit te donner une boîte de marchandises de troc ou un ballot de fourrures.

Prends un raccourci pour éviter les rapides et obtiens deux paquets d'équipement (de la réserve).

Tu rencontres des voyageurs affamés; si tu le désires, tu peux leur échanger un paquet d'équipement contre deux paquets de marchandises de troc ou deux ballots de fourrures (de la réserve).

En démantelant le campement le matin, tu découvres qu'il te manque quelque chose; remets deux paquets d'équipement ou une boîte de marchandises de troc ou un ballot de fourrures dans la réserve.

Le comptoir de traite a stocké trop de marchandises de troc et t'échange deux boîtes de marchandises contre un paquet d'équipement (de la réserve).

Pendant un portage, des Amérindiens amicaux te demandent de la nourriture. Tu leur échanges deux paquets d'équipement contre quatre ballots de fourrures.

Découpe de l'autre côté.

Cartes d'aventure:

Carte d'aventure	Carte d'aventure
Carte d'aventure	Carte d'aventure
Carte d'aventure	Carte d'aventure
Carte d'aventure	Carte d'aventure

Règles du jeu:

1. Chaque joueur commence avec six paquets d'équipement et six boîtes de marchandises de troc.

2. Le but de la partie est de progresser en sécurité le long du trajet et d'échanger des marchandises de troc contre des fourrures. Le joueur qui revient à Montréal avec 20 ballots de fourrures est déclaré gagnant.

3. Tu peux refaire le trajet du jeu plusieurs fois. Pour des parties plus longues, tu peux fixer l'objectif à 50 ou 100 paquets, ou même plus.

4. Lance le dé pour déterminer qui jouera le premier. Le premier joueur avance du nombre de cases indiqué sur le dé et remets un paquet d'équipement dans la réserve.

5. Suis les instructions inscrites sur les côtés du jeu pour chaque case où tu arrives. Lorsqu'elles te disent de prendre une carte d'aventure, tu as le choix de le faire ou non, selon ton goût du risque. Ces cartes peuvent te porter chance ou malheur!

6. À l'arrivée (Montréal), tu peux échanger les paquets d'équipement et les boîtes de marchandises de troc qui te restent contre des ballots de fourrures en tenant compte que:
1 boîte de marchandises de troc = 1 ballot de fourrures
2 paquets d'équipement = 1 ballot de fourrures.

7. Si tu n'as plus de paquets d'équipement, tu peux échanger une boîte de marchandises de troc ou un ballot de fourrures contre un paquet d'équipement de la réserve ou d'un autre joueur.

Rivière du Voleur

Lac Rouge

Lac À la pluie

Voie fluviale en passant par des petits cours d'eau

Rivière Meadow

Lac Leaf

Rivière Mu

Lac Winnipegosis

Rivière Trent

Rivière Swan

Rivière Leech

Fleuve

Mississippi

8 *L'astronome*

David Thompson

La plupart d'entre nous grandissons sous la supervision de nos parents ou de nos tuteurs; d'autres, comme le petit David Thompson, deviennent orphelins très jeunes et sont élevés dans des institutions. La seule demeure que David ait jamais connue est la sévère école Grey Coast en Angleterre; son père était mort alors qu'il était encore bébé.

Lorsque la Compagnie de la Baie d'Hudson offre à l'école de payer 15 dollars pour de jeunes apprentis intelligents, seuls David Thompson et un autre élève réussissent les examens. Cet autre orphelin, en apprenant qu'on veut les envoyer dans les territoires froids et inhospitaliers de la Terre de Rupert, s'enfuit de l'école.

En 1784, à l'âge de 14 ans, le jeune David Thompson arrive à Fort Churchill, un avant-poste sur la baie d'Hudson. Il est petit pour son âge, avec des mèches de cheveux foncés qui lui tombent jusqu'aux sourcils, et il est aveugle de l'oeil droit depuis sa naissance. Ce frêle adolescent deviendra pourtant une des figures marquantes de la traite des fourrures, un homme que les Amérindiens appelleront «L'astronome».

Son premier travail est de copier les manuscrits de Samuel Hearne, un géographe et un arpenteur géomètre. Pendant qu'il transcrit le compte rendu du voyage de Hearne à la rivière Coppermine, des amoncellements de neige d'une hauteur de trois mètres s'accumulent à l'intérieur de la palissade du fort. Une ambition dévorante toutefois aide le minuscule Thompson à garder son optimisme. Il ne désire pas la gloire ou la richesse, mais plutôt la possibilité d'explorer et de découvrir des cours d'eau, des lacs et des cols de montagne, et de les localiser sur une carte géographique du nouveau continent destinée aux générations futures.

Lorsque son équipement de vêtements, fourni par la Compagnie de la Baie d'Hudson, arrive d'Angleterre, il le refuse et demande plutôt un sextant. Cet instrument lui permet de «viser» les étoiles et de déterminer la position des lacs, rivières et postes de traite.

La curiosité scientifique est la première motivation de Thompson. Il étudie l'arpentage, apprend à se servir d'un télescope, d'un chronomètre, d'une boussole, d'un thermomètre et, bien sûr, de son sextant. À l'âge de 16 ans, il devient secrétaire et commis du troqueur Mitchell Oman dans les terres du nord-ouest. Ensuite, on l'envoie passer l'hiver avec la tribu des Piegans sur les rives de la rivière Bow (près de Calgary). L'hiver suivant, il est confiné avec une jambe cassée à Manchester House, un comptoir sur l'embranchement de la rivière Saskatchewan. En 1791, il est promu au poste de «troqueur et arpenteur» et il dirige sa propre expédition.

Thompson se bâtit dans le Nord-Ouest une formidable réputation de conteur plein d'imagination. Il refuse de boire du rhum et d'en échanger avec les Amérindiens. Autour des feux de camp pendant les expéditions dans des territoires inhospitaliers, il lit des passages de la Bible et prêche de longs sermons à ses hommes. Même s'ils sont

des compétiteurs, Thompson et Simon Fraser, de la Compagnie du Nord-Ouest, deviennent de bons amis. C'est Fraser qui convainc Thompson de quitter la Compagnie de la Baie d'Hudson et de joindre sa compagnie.

Pour cette compagnie, Thompson a effectué des relevés topographiques de plus de 5000 km de cours d'eau et de lacs. Avec la Compagnie du Nord-Ouest, il voyage à pied, en canot, en raquettes et à cheval sur plus de 80 000 km de territoire difficile, enregistrant plus de 3 500 000 km jusqu'à sa retraite.

Ce n'est pas Simon Fraser, mais plutôt son ami David Thompson qui découvre le formidable fleuve Columbia et le descend jusqu'à l'océan. Le jour de leur départ pour cette expédition, Thompson, sa femme Charlotte et leurs trois jeunes enfants s'agenouillent pour prier. «Que Dieu dans Sa bonté m'accorde d'aller jusque-là où ses eaux se jettent dans l'océan et me permette de revenir en sécurité.»

Après avoir passé 28 ans dans le Nord-Ouest, Thompson prend sa retraite et s'installe à Montréal où il trace à l'aide de son journal la première carte géographique du Nord-Ouest. On la suspend à Fort William pour que tous les hommes du nord l'utilisent comme guide. David Thompson, un des meilleurs géographes de l'histoire, avait réalisé son rêve.

Une carte géographique

Les géographes comme David Thompson prennent des notes détaillées et tiennent un journal de leurs voyages. Lorsqu'ils reviennent chez eux, ils établissent des cartes géographiques pour les autres voyageurs à partir des informations qu'ils ont compilées. Toi aussi, tu peux faire la même chose!

Il te faut:
un petit carnet
un crayon
un ruban à mesurer
une boussole
une grande feuille de papier de 50 cm^2

Marche à suivre:

1. Avant de commencer ton expédition, détermine la longueur de ton pas. Marque ton point de départ sur le sol, puis fais dix pas de longueur normale. Marque l'endroit où tu t'arrêtes et mesure la distance avec ton ruban à mesurer. Divise la longueur obtenue par dix. De quelle longueur en moyenne est ton pas? Cinquante centimètres?

2. Commence maintenant ton expédition. Fais une promenade dans ton quartier ou dans un parc des alentours. Détermine la direction que tu prends avec la boussole et note-la dans ton carnet, ainsi que le nombre de pas que tu fais dans cette direction. Sois prudent en traversant les rues. Note aussi les détails que tu vois aux alentours: maisons, cours d'eau, clôtures, arbres, ponts. Lorsque tu changes de direction, note ce changement dans ton carnet.

3. De retour chez toi, reporte les informations de ton carnet sur une grande feuille de papier pour créer ta carte géographique. Chaque fois que tu effectues cette opération, ta carte devient plus précise. Ça te permet aussi de te rendre compte de l'ampleur de l'oeuvre de David Thompson!

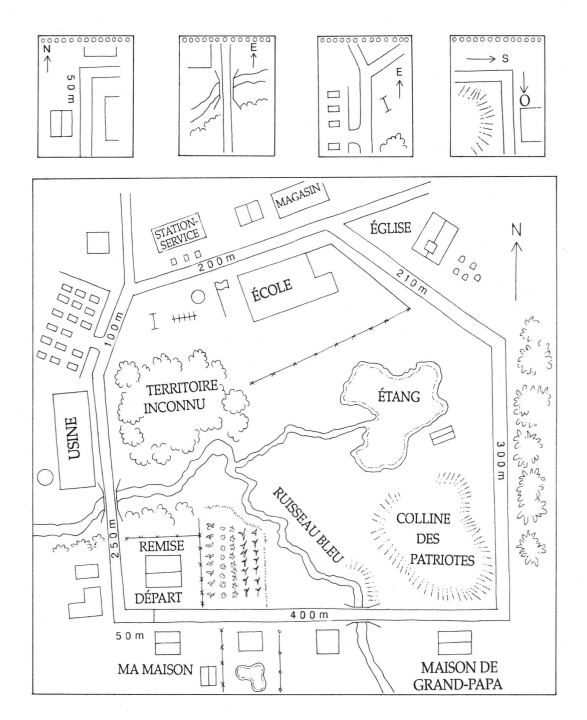

LES TRIBUS INDIGÈNES DU NORD-OUEST

KUTCHIN

MACKENZIE

NETSILIK

LIÈVRES

INUIT

TAGISH

INUIT DU CUIVRE

TLINGIT

TAHLTAN

YELLOWKNIFE

PLATS-COTÉS-DE-CHIEN

ESCLAVES

INUIT DU CARIBOU

TSETSAUT

A T H A B A S C A N

TSIMSHIAN

CASTORS

CHIPEWYAN

HAIDA

SEKANIS

CARRIER

KWAKIULT

BELLA
COOLA

SARCIS

CHILCOTIN

PIEDS-NOIRS

A L G O N Q U I E N S

CRIS

WAKASHAN

NOOTKA

COTIERS

KOOTENAY

FRÈRES DE SANG

PIEGANS

NICOLA

A S S I N I B O I N E S

SALISH COTIERS

SALISH

GROS-VENTRES

OJIBWÉS

S A L I S H

SIOUX

9 *Les peuples indigènes du Nord-Ouest*

Amérindiens et Inuit

Aujourd'hui, le Canada est un pays multiculturel. Son peuple est formé de gens d'origines raciales et de langues maternelles très diverses. Toutefois, une allégeance commune à la nation canadienne nous unit et les deux seules langues officielles du pays sont le français et l'anglais.

Dans le temps des trappeurs, l'Amérique du Nord est une terre abritant un grand nombre de peuples et de cultures; on y parle plus de 300 langues différentes! Parce que les tribus indigènes ne peuvent pas très bien comprendre les langues parlées autres que la leur, elles communiquent entre elles par signes et par gestes. À ce moment, ces peuples ne connaissent pas l'écriture; à la place, ils gravent des signes dans l'écorce des arbres, peignent les scènes d'événements historiques ou gardent leurs traditions sous forme symbolique, comme dans les totems. Ils possèdent aussi de riches traditions orales transmises par les conteurs.

Les tribus subarctiques

Ce sont de ces indigènes que les trappeurs ont le plus appris comment survivre en forêt et rassembler les peaux de castor. Ces tribus vivent dans une région nordique appelée la taïga, qui renferme un labyrinthe de cours d'eau intérieurs comme le grand lac de l'Ours, le grand lac de l'Esclave, le lac Winnipeg, le fleuve Yukon, le fleuve Mackenzie, la rivière La Paix, la rivière Saskatchewan et la rivière Rouge.

Ces tribus subarctiques ne vivent pas dans des villages permanents. Ce sont des nomades, toujours prêts à suivre les troupeaux de caribous et d'orignaux qu'ils chassent. Parce qu'ils ne veulent pas s'encombrer de bagages inutiles, ils possèdent peu de choses. Ces Amérindiens voyagent en bandes de 25 à 35 individus de la même famille. Dans leur langue, le même mot désigne la mère, la tante, le frère ou le cousin.

Leurs principaux moyens de transport sont le canot d'écorce et les raquettes; ils portent des vêtements en peau de daim à franges. Les femmes portent leurs cheveux en tresses et décorent leur chevelure de bandeaux colorés en coquillages ou de bijoux de pierres. Les hommes ne portent rien sur leur tête, car ils sont fiers de leur longue chevelure. Le meilleur chasseur est l'homme le plus respecté de la tribu.

La mortalité infantile est très élevée parmi ces peuples à cause des dures conditions de vie et des maladies mortelles. C'est la raison pour laquelle un bébé ne reçoit pas de nom à sa naissance; on attend plutôt qu'il soit assez fort pour survivre. Les filles et les garçons se marient très jeunes — la fille lorsqu'elle peut avoir des enfants et le garçon quand il a prouvé ses qualités de chasseur. Pour un jeune Amérindien, tuer un animal sauvage pour la première fois est un événement important de sa vie.

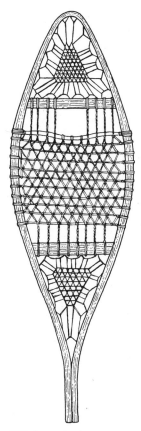

Les Kutchin
C'est Alexander Mackenzie qui est le premier Blanc à pénétrer dans le territoire de ce peuple durant son voyage vers l'Arctique en 1789.

Les Carrier (transporteurs)
On appelle ainsi cette tribu à cause de sa coutume qui veut que les veuves transportent les os calcinés de leur mari décédé dans un panier pendant trois ans.

Les Chipewyan
Le nom de ces Amérindiens signifie «peau pointue», car les chemises des Chipewyan ont un bord pointu. Lorsque Samuel Hearne explore le fleuve Churchill et les rivières Coppermine et de l'Esclave de 1768 à 1776, son guide est un Chipewyan nommé Matonabbee.

Les Amérindiens de la Prairie

Ces Amérindiens sont les meilleurs cavaliers au monde. Ils dépendent pour leur nourriture et leurs vêtements des troupeaux de bisons qu'ils suivent à travers la prairie. Ils vivent dans des wigwams portatifs et utilisent des chiens et des chevaux pour traîner les travois sur lesquels ils transportent leurs biens.

Les chamans

Tous les peuples amérindiens ont des chamans très puissants, qui sont à la fois des sorciers et des guérisseurs. Ce sont les anciens de la tribu qui tiennent ce rôle parce qu'ils sont en rapport direct avec le monde des esprits.

La quête de l'idéal

Avant d'atteindre la puberté, la jeune Amérindienne et le jeune Amérindien partent pour une «quête de l'idéal». Chacun doit séjourner seul et sans nourriture dans la forêt jusqu'à ce qu'il rencontre une bête sauvage qui deviendra son protecteur et son ami. En se servant des rêves pour entrer en contact avec l'animal, le jeune apprend à respecter celui-ci. Grâce à cette expérience mystique, les adolescents acquièrent un pouvoir personnel et la compréhension des animaux qu'ils chassent et dont ils dépendent pour leur survie.

La danse du Soleil des Sioux

La danse du Soleil, en l'honneur de l'astre du jour, du ciel et de la terre, prend place dans un wigwam sacré. Ce rite est accompli pour obtenir le renouvellement des troupeaux de bisons, la guérison des malades, la réussite des mariages et la victoire à la guerre. Quelquefois, certains guerriers s'arrachent des lambeaux de peau pendant la cérémonie pour amplifier leur expérience mystique.

Les Gros-Ventres

On appelle ainsi la tribu des Gros-Ventres parce que ces Amérindiens ont la réputation d'être de gros mangeurs.

Les Assiniboines

Le nom Assiniboines signifie «ceux qui cuisent avec des pierres».

Les Piegans (ou *Pikuni*)

Cette appellation désigne des Amérindiens «pauvrement vêtus».

Le travois

Il consiste en deux perches attachées ensemble en forme de V. Le bout fermé est placé sur le dos de l'animal de trait et l'extrémité ouverte repose sur le sol pendant le trajet. Ce cadre de bois peut aussi servir comme perches de wigwam lorsque les Amérindiens de la prairie montent leur campement.

Les Frères de sang

Ces Amérindiens sont appelés ainsi parce qu'ils peignent leur corps d'argile rougeâtre.

Les Pieds-Noirs

Les Pieds-Noirs portent des mocassins teints en noir; de là vient leur nom. En partant pour sa première expédition guerrière, un jeune adolescent reçoit un nom insultant ou idiot qu'il garde jusqu'à ce qu'il vole son premier cheval ou tue son premier ennemi. À ce moment, on lui donne son vrai nom, qui découle de ses actions et de son comportement.

Les peuples de la côte nord-ouest

Les indigènes de la côte de la Colombie britannique construisent des maisons de bois sur les plages de sable le long de l'océan. Comme ils vivent à proximité des forêts côtières où s'élèvent de gigantesques conifères, ces Amérindiens sont experts dans le travail du bois. Leurs longues maisons de planches de cèdre mesurent de six à trente mètres de long; devant, on retrouve souvent des totems géants. Ils fabriquent aussi des masques, des chapeaux et des armures de bois. La mer leur fournit leur nourriture, comme le saumon, le flétan, le hareng, la morue et le carrelet, ainsi que le phoque, le lion de mer et la baleine.

Le potlatch

Le potlatch est une coutume amérindienne, un peu différente selon les tribus. Ce terme vient du mot des Nootka *patshatl* qui veut dire «partage». Cette habitude implique de donner des cadeaux aux autres pour montrer sa richesse et son pouvoir.

Les tueurs d'esclaves

Dans la version des Kwakiutl du potlatch, la personne recevant un cadeau doit le repayer en double à la prochaine cérémonie. Les cadeaux peuvent être des fourrures, des couvertures, des coffres de cèdre, des plats de cuivre ou même des esclaves. Parfois, comme symbole de cadeau, les esclaves sont tués avec un gourdin de cérémonie appelé un «tueur d'esclave».

Les couvertures parlantes

Le nom des Tsimshian veut dire «peuple de la rivière Skeena»; ces Amérindiens sont réputés pour la beauté de leur travail du bois et de leur vannerie. On prétend que les dessins d'animaux et de formes abstraites tissés en poils de chèvre et en écorce de cèdre sur leur couverture *chilkat* à franges ont le pouvoir de parler aux gens.

Enlevés par les loups

Chez les Nootka, les garçons doivent subir une initiation durant laquelle des hommes déguisés en loups les enlèvent pendant plusieurs jours. Les jeunes apprennent des chansons et des danses de loup avant d'être secourus au cours d'un faux combat.

Les masques des Kwakiutl

Ces Amérindiens réalisent de magnifiques masques sculptés et peints auxquels ils ajoutent des plumes et des cheveux. Ils utilisent ces masques pour raconter les histoires des dieux de leur mythologie. Certains sont utilisés lors de la danse de Cannibale, un conte au sujet du dieu Cannibale, qui sert à prévenir les gens des maux du cannibalisme.

Ornements de perles amérindiens

Au départ, les Amérindiens de la Prairie décorent leurs costumes de franges, dents d'orignal, peaux d'hermine et piquants teints de porc-épic. Après l'arrivée des Européens, les indigènes se procurent des perles de verre, grâce au troc de la traite des fourrures. Les Amérindiens les préfèrent aux matériaux naturels pour décorer les vêtements, sacs et autres objets. La plupart de leurs motifs sont géométriques. Tu peux fabriquer tes propres perles!

Il te faut:
des petites pailles en plastique
des ciseaux
du fil
une aiguille

Marche à suivre:
1. Coupe les pailles en plastique en morceaux de différentes longueurs pour créer tes propres perles.

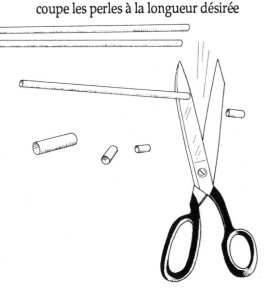

pailles

coupe les perles à la longueur désirée

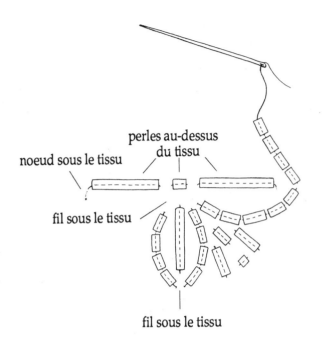

noeud sous le tissu

perles au-dessus du tissu

fil sous le tissu

fil sous le tissu

2. Ornement sur tissu: pour commencer, passe l'aiguille enfilée à travers le revers du tissu (n'oublie pas de faire un noeud au bout du fil). Ensuite, passe l'aiguille dans une perle placée sur le dessus du tissu; pique l'aiguille sur le dessus pour l'amener sur le revers, puis ramène-la de nouveau sur le dessus. Répète ce procédé pour compléter le motif.

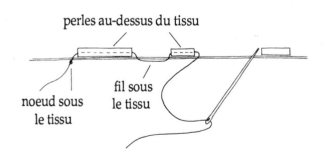

perles au-dessus du tissu

noeud sous le tissu

fil sous le tissu

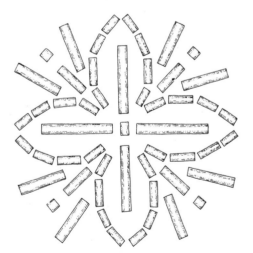

Voici un motif amérindien de perles complété. Tu peux aussi créer ton propre motif.

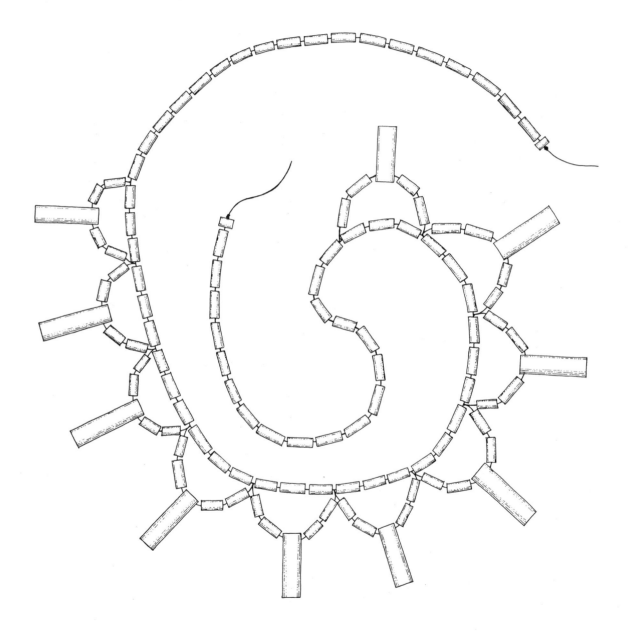

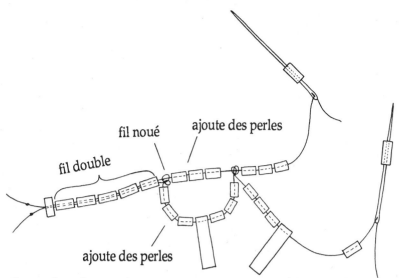

fil double   fil noué   ajoute des perles

ajoute des perles

3. Collier de perles: pour réaliser ce collier, commence avec deux aiguilles et deux fils différents. Le premier fil sert à faire un collier de perles simple. Le deuxième fil te permet d'ajouter des boucles au premier. Commence avec les deux fils ensemble; fais un noeud avec les deux fils, puis ajoute des perles sur les deux fils, réunis les deux fils avec un noeud, et ainsi de suite jusqu'à la fin, où tu ramènes les deux fils ensemble. N'oublie pas de compter les perles pour créer un motif régulier.

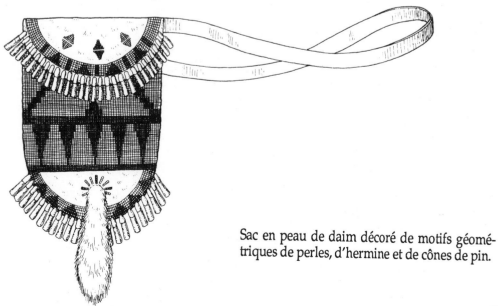

Sac en peau de daim décoré de motifs géométriques de perles, d'hermine et de cônes de pin.

10

Le massacre de Seven Oaks

Lord Selkirk

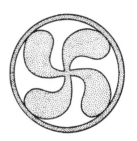

Lorsque les troqueurs de fourrures de Montréal s'allient pour former la Compagnie du Nord-Ouest, ils détiennent une place importante dans la traite des fourrures. La nouvelle compagnie ignore les prétentions de la Compagnie de la Baie d'Hudson qui s'efforce de contrôler toute la traite dans le Nord-Ouest.

La gigantesque Compagnie de la Baie d'Hudson sort finalement de sa léthargie et se prépare à défendre son territoire et son commerce. Un jeune comte, Lord Selkirk, fonde, pour le compte de la Compagnie de la Baie d'Hudson, une colonie près de Fort Gibralter de la Compagnie du Nord-Ouest. Il envoie par bateau des milliers d'Écossais jusqu'à la Baie d'Hudson, puis leur fait descendre le fleuve Nelson jusqu'au lac Winnipeg.

Les gens de la Compagnie du Nord-Ouest craignent les effets de la présence de cette nouvelle colonie sur leur route directe de traite des fourrures dans le Nord-Ouest. Les Métis, eux, sont offensés par la concession de 18 millions d'hectares de terre que la Compagnie de la Baie d'Hudson a faite aux colons.

Ces hommes originaires des Hautes Terres d'Écosse sont des gens endurcis, mais la colonie n'est pas bien organisée et plusieurs colons meurent de faim et de froid durant le premier hiver. La colonie de la rivière Rouge a un besoin urgent de nourriture. Miles MacDonnell, que Selkirk a placé à la tête de la colonie, saisit 600 sacs de pemmican du poste Brandon de la Compagnie du Nord-Ouest sur la rivière Assiniboine.

Lorsque cette nouvelle arrive à Fort William, Duncan Cameron de la Compagnie du Nord-Ouest se précipite à la rivière Rouge. Il offre aux colons de la nourriture à condition que ceux-ci retournent à Montréal. Les Métis attaquent et incendient la maison d'un colon qui refuse de partir; plus de 100 colons acceptent l'offre de Cameron.

Lorsque Lord Selkirk apprend cela, il envoie sur-le-champ comme nouveau gouverneur de la colonie un capitaine militaire à la volonté inflexible, Robert Semple. Semple procède à l'arrestation de Cameron et l'envoie en Angleterre subir un procès pour ses actions. Ensuite, il rase Fort Gibralter.

Sous la conduite de Cuthbert Grant, un groupe de Métis et de gens de la Nord-Ouest en colère se rend à cheval jusqu'au fort de la Compagnie de la Baie d'Hudson près de Seven Oaks. Robert Semple vient à leur rencontre et leur demande avec arrogance la raison de leur visite. «Nous voulons notre fort», hurle Grant. «Alors retournez à votre fort!» le défie Semple en attrapant la bride de son cheval. On entend un coup de fusil et Semple tombe, mort. Ses hommes se précipitent hors du fort. La fusillade éclate de tous côtés. Les hommes tirent à cheval ou cachés derrière les arbres. À la fin du combat, 20 hommes de Semple sont morts et les autres sont faits prisonniers et expédiés à Fort William. Un seul employé de la Nord-Ouest est tué à Seven Oaks; les autres célèbrent leur victoire.

Leurs réjouissances sont de courte durée. Lord Selkirk revient de l'Écosse et, à Montréal, il se fait nommer juge de paix pour le Canada. Il recrute ensuite une armée de 100 mercenaires suisses et, accompagné aussi par des centaines de voyageurs du Haut-Canada, il part pour Fort William.

Une brigade impressionnante de canots traverse la lac Supérieur et arrive à Fort William. Le comte écossais exige que l'on relâche les prisonniers capturés à Seven Oaks. Il met en état d'arrestation William McGillivray, le dirigeant de la Compagnie du Nord-Ouest, et tous les autres partenaires du fort qu'il envoie à Montréal pour leur procès.

Les années suivantes voient plusieurs confrontations opposer les employés des deux compagnies. De part et d'autre, on saisit les forts, on prend les flottes de canots en embuscade pendant les portages et les meurtres ne se comptent plus dans le Nord-Ouest. En 1821 finalement, les deux compagnies rivales décident de s'unir sous l'égide de la Compagnie de la Baie d'Hudson, ce qui met un terme à la dernière des guerres du castor.

Les empreintes de «sasquatch»

Le 5 janvier 1811, lors d'un voyage à Athabasca, David Thompson note dans son journal une croyance des indigènes en un énorme «mammouth», qui est peut-être la créature qu'on appelle maintenant un sasquatch.

J'en questionne plusieurs; aucun ne peut dire avec certitude qu'il l'a vu, mais je ne peux ébranler leur ferme croyance qu'il existe.

Deux jours plus tard, il ajoute:

Dans l'après-midi, nous trouvons les empreintes d'un gros animal. J'en mesure une; quatre grands orteils de quatre pouces (10 cm) de long, chacun avec une courte griffe; la plante du pied enfoncée de trois pouces (7 cm) de plus que les orteils, le talon peu marqué; la longueur, quatorze pouces sur huit pouces (35 x 20 cm) de largeur; la direction, du nord vers le sud il y a environ six heures. Mes hommes et les Indiens croient qu'il s'agit d'un jeune mammouth, mais je pense que ce sont plutôt les empreintes d'un grand ours grizzly, quoique les petits ongles, la plante du pied et la longueur même de celui-ci ne sont pas ceux d'un ours.

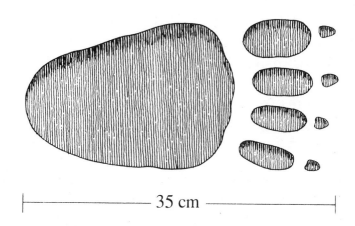

├─────────── 35 cm ───────────┤

Mots Croisés du Nord-Ouest

HORIZONTALEMENT

4. Un sorcier amérindien.
5. Aliment consommé par les trappeurs.
7. Utilisé par les Amérindiens de la Prairie pour transporter de lourdes charges.
8. Un employé de la Compagnie du Nord-Ouest qui a franchi les rapides.
9. Une tribu où les jeunes garçons sont enlevés et déguisés en loups.
11. Les Canadiens français spécialistes des voyages en canot.
16. Appelé précédemment Ville-Marie.
19. Un instrument servant aux premiers explorateurs pour déterminer leur position.
20. Un animal à la fourrure précieuse.
21. L'explorateur qui établit la première carte du Nord-Ouest.

VERTICALEMENT

1. Le premier explorateur à atteindre les montagnes Rocheuses.
2. L'homme qui a fondé la colonie de la rivière Rouge.
3. Le promoteur de la fondation de la Compagnie de la Baie d'Hudson.
6. Les patrons de la traite des fourrures.
10. De très grands cours d'eau.
12. Un monstre mythique vivant dans les montagnes Rocheuses.
13. Qui assure un déplacement rapide.
14. Une coutume amérindienne de partage de cadeaux.
15. Nom anglais de la tribu des Pieds-Noirs.
16. Le premier explorateur à traverser le continent nord-américain.
17. Les canots utilisés dans le lointain Nord-Ouest.
18. Une personne mi-blanche et mi-amérindienne.

Solution à la page 91.

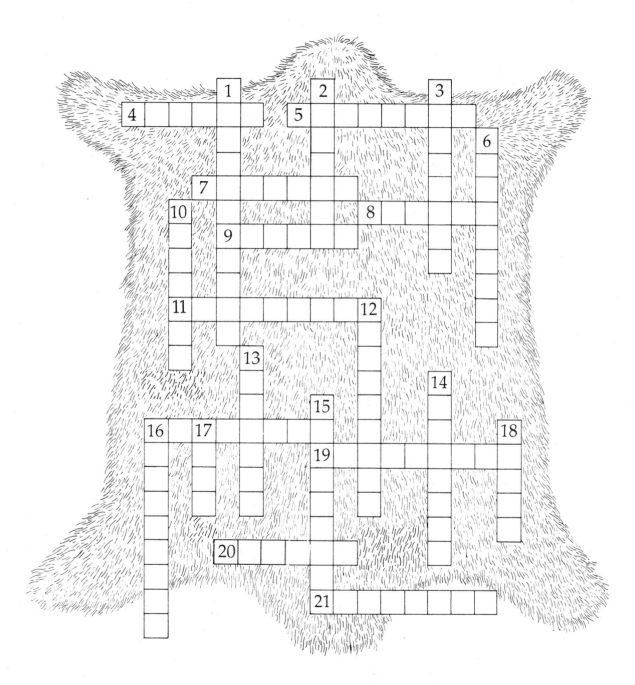

CHAPITRE 11 *Des amis à la rescousse*

Grey Owl et Anahareo

De nos jours, le commerce de la fourrure emploie des milliers de Canadiens. Le monopole de la Compagnie de la Baie d'Hudson n'existe plus, mais les chasseurs sont toujours présents dans les régions nordiques du Canada. L'un d'eux, ayant vécu durant notre siècle, connaît un destin aussi célèbre que celui des hommes de la Compagnie du Nord-Ouest.

L'histoire commence en fait en Angleterre avec un jeune garçon appelé Archie Belaney élevé par deux vieilles tantes. L'enfant n'a jamais connu ses parents.

Un des grands plaisirs d'Archie sont ses livres sur l'Ouest nord-américain. Leurs histoires d'explorateurs et d'Amérindiens le fascinent et l'excitent. En 1906, à l'âge de 16 ans, il quitte l'école et s'embarque pour le Canada. Il travaille à Toronto juste le temps nécessaire pour accumuler l'argent d'un billet de train pour Cobalt dans le nord de l'Ontario.

Les voies ferrées sont inondées et les voyageurs doivent parcourir à pied les derniers 65 km. Archie est affamé et il n'a pas un sou. Son accent britannique en fait un sujet de moquerie; il est sévèrement battu au cours d'une bagarre. Piqué par les insectes et affaibli par la faim, il perd connaissance le long des voies ferrées et un essaim de mouches noires se pose sur son visage.

«Tu as de la chance que nous t'ayons trouvé au bon moment, ou tu serais la proie des loups à l'heure qu'il est.» Le jeune Belaney ouvre les yeux et aperçoit le visage tanné par les éléments de Jesse Hood, un guide de métier. Le garçon est étendu dans une cabane en rondins et il voit deux Amérindiens silencieux derrière son sauveteur.

Ainsi commence une nouvelle vie pour Belaney. Il apprend à se servir d'un canot, de raquettes, d'un traîneau à chiens et aussi à parler la langue ojibwée. À mesure que sa peau brunit à cause de la vie au grand air, son accent britannique s'atténue. Revêtu de vêtements en peau de daim, il ressemble à ses amis amérindiens. La tribu ojibwée l'adopte et le nomme *Wa-Sha-Quon-Asin* ou Grey Owl (Hibou Gris).

Quand il rencontre et épouse une belle Amérindienne, Anahareo, tout le monde le prend pour un Amérindien. La nature douce et paisible de son épouse déteint sur celle de Grey Owl. Anahareo a en horreur que l'on tue et mutile avec d'horribles pièges d'acier les castors et les autres bêtes sauvages.

«Il faut que tu arrêtes ce carnage, lui demande-t-elle. Cela finira par tuer ton âme autant que la mienne.»

Le couple adopte deux bébés castors, dont les parents ont été tués par les trap-

peurs; ce sont les premiers animaux de leur nombreuse ménagerie d'animaux sauvages. Ce geste donne naissance à Grey Owl, le partisan de la conservation. Avec les bébés castors blottis sur sa poitrine pour dormir, Grey Owl se rend compte de la cruauté de la chasse à la trappe des animaux sauvages. Grâce à Anahareo, il décide de ne plus chasser les animaux comme métier.

«Je suis maintenant le président, le trésorier et le seul membre de la Société du peuple castor», déclare-t-il.

Grey Owl commence à écrire et à prendre la parole au sujet du massacre des castors. Habillé comme un Amérindien canadien, il devient une célébrité mondiale. Ses articles dans les magazines, ses livres sur la nature et ses tournées de conférences sensibilisent les gens en Europe et en Amérique du Nord au drame du massacre perpétré dans les étendues sauvages. Avec l'aide du Service canadien des parcs nationaux, il crée une réserve de conservation pour les castors.

Cependant, lorsque Grey Owl meurt d'une pneumonie le 13 avril 1938 à Prince Albert en Saskatchewan, les journaux titrent: «Grey Owl est un imposteur».

Tout le monde est scandalisé d'apprendre que le célèbre Amérindien canadien n'était pas du tout un Amérindien, mais plutôt un homme blanc d'Angleterre nommé Archie Belaney. Même sa femme Anahareo ignorait la vérité sur ses origines.

Solution des mots croisés du Nord-Ouest, page 86.

HORIZONTALEMENT

4. Chaman
5. Pemmican
7. Travois
8. Fraser
9. Nootka
11. Voyageurs
16. Montréal
19. Astrolabe
20. Castor
21. Thompson

VERTICALEMENT

1. La Vérendrye
2. Selkirk
3. Radisson
6. Bourgeois
10. Fleuves
12. Sasquatch
13. Express
14. Potlatch
15. Blackfoot
16. Mackenzie
17. Nord
18. Métis

Dans la même collection

Les Vikings

La traite des fourrures

La Nouvelle-France

Les défenseurs

Index